REVOLUTIE!

DE AMERIKAANSE REVOLUTIE

R.G. Grant

Ars Scribendi

REVOLUTIE!

Revolutiejaar 1848
De Amerikaanse Revolutie
De Franse Revolutie
Revolutie in Europa 1989
De Russische Revolutie

Illustratie omslag: *Washington steekt de Delaware over voor de slag bij Trenton.*

Pagina 1: *Een groep revolutionairen op de markt.*
Rechts: *De 'Declaration of Independence' (Onafhankelijkheidsverklaring), waarbij de dertien Verenigde Staten het recht opeisten zichzelf te besturen als een onafhankelijk land.*

Oorspronkelijke titel The American Revolution

Productie De Laude Scriptorum BV, Harmelen

Vertaling T. Dijkhof

Zetwerk Intertext, Antwerpen

ISBN 90-5495-092-7

Fotoverantwoording
De uitgevers danken de volgende personen en instellingen voor hun toestemming voor het gebruik van illustraties:
AKG London omslag voor, 12 (boven), 29 (onder), 42 (boven); Robert Harding Picture Library 14-15, 41 (onder); Peter Newark's American Pictures 1, 4 (onder), 14 (links), 18 (onder), 22 (onder), 24, 28 (onder), 30-31, 40-41 (boven), 44 (onder); Photo Inc. 4 (boven), 6, 7 (boven), 9, 11 (boven), 13, 16, 18-19 (boven), 19 (onder), 20 (onder), 20-21 (boven), 22-23 (boven), 25, 26, 26-27, 32, 33, 34 (boven), 35, 36 (boven), 36 (onder), 37, 38, 39, 42-43 (onder), 44 (boven); Range Pictures/ The Bettmann Archive 3, 11 (onder), 12 (onder), 21 (rechts), 28-29 (boven), 34 (onder); Range/Bettmann/Hulton 8; ZEFA 23 (onder).
Kaarten van Peter Bull.

gedrukt in Italië

INHOUD

IN CONGRESS, JULY 4, 1776.

The unanimous Declaration of the thirteen united States of America,

Het Begin van de Revolutie

Het was helder en koud in Boston, Massachusetts in de avond van 5 maart 1770. Er lag sneeuw op de geplaveide straten. De sfeer in de stad, een van de grootste havens in het Britse Noord-Amerikaanse rijk, was gespannen en dreigend. Achttien maanden eerder waren Britse soldaten naar de stad gezonden om de douanebeambten te beschermen tegen aanvallen van woedende stadsbewoners. Als vertegenwoordigers van de Britse macht waren de 'roodrokken' niet welkom in de stad, omdat de inwoners van Boston weigerden invoerrechten te betalen die opgelegd waren door de Britten.

Op 5 maart waren er de hele dag door verspreid over de stad gevechten tussen de bewoners en Britse soldaten. 's Avonds verspreidde zich het gerucht dat Britse soldaten twee jongeren, van 11 en 14 jaar oud, in elkaar hadden geslagen. Het geluid van bellende brandweerwagens verspreidde zich door de maanverlichte stad, en een woedende menigte kwam bijeen. Een klein Brits troepencontingent, onder commando van kapitein Thomas Preston, hield de wacht buiten het douanegebouw in King Street. Ze kwamen tegenover een opstandige, woedende menigte te staan, bestaande uit armen, leerjongens en handwerkslieden die met stokken

Rechts: *Deze gravure van de Slachting te Boston werd gemaakt door de Amerikaanse radicaal Paul Revere. Het is anti-Britse propaganda, en geeft niet weer wat werkelijk gebeurde op 5 maart 1770.*

Links: *Britse soldaten arresteren een Amerikaanse boer en verdrijven zijn familie van hun land. Rond 1770 zagen veel Amerikanen de Britten – en vooral het Britse leger – als een bedreiging van hun vrijheid.*

zwaaiden, allerlei beledigingen riepen en de soldaten bekogelden met sneeuwballen.

'Vuur, verdomme! Vuur!' schreeuwde iemand uit de menigte. Een vanuit de menigte gegooide stok raakte een soldaat, Hugh Montgomery, die op de grond viel. Montgomery raakte in paniek. Hij klauterde overeind en vuurde op de menigte, z'n kameraden oproepend hetzelfde te doen. Voordat kapitein Preston zijn mannen tot de orde kon roepen hadden ze al in het wilde weg geschoten op de menigte burgers. Binnen een halve minuut was de straat leeg. Alleen de doden en gewonden waren achter gebleven op straat. Drie Amerikanen werden direct gedood – waaronder Crispus Attucks, een weggelopen slaaf – en twee anderen stierven later aan hun verwondingen.

DE AMERIKAANSE SAMENLEVING

De Amerikaanse Revolutie vond plaats in dertien Britse kolonies tussen Canada in het noorden en Florida in het zuiden (zie pagina 10). De bevolking van de dertien kolonies bestond in 1775 uit ongeveer 2,5 miljoen mensen. Hoewel dit nog niet veel was, was de bevolking in korte tijd snel toegenomen. In 1700 was dit nog slechts 275.000 geweest; rond 1800 zou het 5,3 miljoen zijn.

Grootgrondbezitters, rijke kooplieden en advocaten, allen blanken, vormden in alle kolonies de elite. Ze namen de gewoonten van de Britse 'gentlemen' aan, en brachten hun tijd door met kaartspelen en biljarten in hun grote, modieuze huizen. Hun sterke gevoel voor hun rechten leidde er toe dat ze vonden dat ze hun eigen zaken konden regelen, zonder tussenkomst van Engeland. Schoorvoetend werden deze heren revolutionairen.

De meerderheid van de blanke Amerikanen bestond uit kleine boeren, handwerkslieden of winkeliers. Deze mensen hadden, arm noch rijk, een sterk gevoel van onafhankelijkheid, en waren gewend hun eigen beslissingen te nemen. Bijna allemaal konden ze lezen en schrijven. Deze mensen vormden de ruggegraat van de Revolutie.

De armste blanken waren boerenarbeiders zonder eigen land, en ongeschoolde arbeiders in de steden. Voor veel van deze mensen was het leven in de zestiger en zeventiger jaren van de achttiende eeuw niet gemakkelijk. Het ging niet goed met de economie, de lonen waren laag en er was niet genoeg werk voor iedereen. De ontberingen maakten de arme mensen dikwijls opstandig, en bereid tot relletjes tegen Britse soldaten, douane-beambten en welgestelde pro-Britse Amerikanen.

Helemaal onderaan in de koloniale gemeenschap stonden de Afrikaanse Amerikanen. Hun aantal bedroeg ongeveer een half miljoen, ongeveer eenvijfde van de bevolking, en het waren bijna allemaal slaven. Ze hadden totaal geen rechten en konden worden gekocht en verkocht als persoonlijk eigendom.

Er leefden ook ongeveer 200.000 oorspronkelijke bewoners, de Indianen, in en rond de dertien kolonies. Ze leefden in hun eigen stammen en hadden hun eigen leiders.

Verontwaardigde inwoners van Boston bewapenden zichzelf en riepen naburige steden op hen te steunen in hun strijd tegen de soldaten. Maar de autoriteiten stopten het bloedvergieten door te beloven degenen die verantwoordelijk waren voor de 'Slachting te Boston' te arresteren. Toen de soldaten werden berecht werden ze verdedigd door Amerikaanse advocaten, waaronder John Adams, een toekomstige president. Adams keurde, evenals andere rijke Amerikanen, het geweld van het gepeupel af. Hij beschreef de menigte in Boston neerbuigend als 'een ongeordende menigte brutale apen'. Een jury bevond kapitein Preston onschuldig. Twee soldaten werden veroordeeld wegens doodslag, niet moord. Hun enige bestraffing bestond uit een brandmerk van de letter 'M' op hun duim. Maar het belangrijkste was dat het Britse leger zich terugtrok uit Boston.

Verzet tegen de Britse Macht

Radicalen als John Adam's neef Sam Adams en de zilversmid Paul Revere, hadden de campagne om de soldaten te verdrijven geleid. De radicalen werden dikwijls de Zonen van de Vrijheid genoemd. Sedert 1760 hadden ze oppositie gevoerd tegen elke Britse poging de Noord-Amerikaanse kolonies belasting op te leggen. Ze protesteerden in 1765 tegen de Zegelwet en dwongen de Britten deze af te schaffen. In 1767 voerden ze oppositie tegen de Townshendwet, die nieuwe importbelastingen voorschreef die geïnd werden door douanebeambten die door de Britten werden benoemd.

In 1770 bonden de Britten opnieuw in, door de belasting in te

Links: *Paul Revere was zilversmid en drukker in Boston. Hij is het meest beroemd vanwege zijn dramatische nachtrit om te waarschuwen tegen een Britse aanval* *(zie pagina 15).*

TIJDSCHAAL

1763
10 februari: De Vrede van Parijs maakt een eind aan de Zevenjarige Oorlog; Engeland verkrijgt het bezit van Quebec en Florida.

1765
22 maart: Engeland voert de Zegelwet in.

1767
29 juni: Met de Townshendwet werden belastingen geheven op allerlei goederen die in de Noord-Amerikaanse kolonies werden ingevoerd, o.a. op thee.

1770
5 maart: de 'Slachting te Boston' – vijf mensen worden gedood door Britse soldaten.

1773
16 december: De 'Boston Tea Party' – radicalen verkleed als Indianen gooien thee uit Oost-Indië in de oceaan.

1774
maart-juni: Engeland voert de 'Ontoelaatbaarheidswetten' in en benoemt generaal Thomas Gage tot militair gouverneur van Massachusetts.
5 september: Het Eerste Continentale Congres komt bijeen in Philadelphia.

SMOKKEL

De grootste oorzaak van de onenigheid tussen Engeland en de kolonies was de poging van Engeland om de Amerikaanse handel te beheersen ten eigen voordele. Engeland legde een massa regels en regelingen op die bekend stonden als de Navigatiewetten. Veel Amerikanen weigerden zich aan deze wetten te houden en begonnen te smokkelen, iets dat zeer winstgevend kon zijn. Het was bijvoorbeeld de bron van het familiekapitaal van de rebellenleider John Hancock.

Volgens de algemene opinie in de koloniën was smokkelen niet slecht. In 1772 liep de schoener *Gaspee* van de Koninklijke Marine aan de grond dichtbij Providence, Rhode Island, tijdens een zoektocht naar smokkelaars. De verrukte bevolking van Rhode Island stak het hulpeloze schip in brand, en hoewel iedereen in de gemeenschap wist wie hier aan deelgenomen hadden, werd er niemand gevonden die tegen hen wilde getuigen.

Links: *In 1775 organiseerden Amerikaanse radicalen, de Zonen van de Vrijheid genaamd, protestacties als deze tegen de Zegelwet, die zij beschreven als 'Engeland's dwaasheid en Amerika's ondergang'.*

Boven: *John Hancock was koopman in Boston. Het familiekapitaal was afkomstig van handel die onder de Britse wetten illegaal was. Hancock werd een van de leiders van de revolutie.*

trekken op alle artikelen behalve thee, toentertijd een populaire drank in de kolonies.

De manier waarop tegen de impopulaire Britse belastingen werd geprotesteerd was niet altijd even zachtzinnig. Amerikaanse patriotten smeerden impopulaire beambten in met teer en veren, bestormden douanegebouwen en plunderden de huizen van pro-Britse Amerikaanse 'Tories'. De meeste welgestelde Amerikanen keurden dergelijke acties van het 'gepeupel' af, maar ze deden wel mee aan georganiseerde boycots van Britse goederen. De gemoederen jegens Engeland raakten steeds meer verhit. John Wentworth, de gouverneur van New Hampshire, schreef: '*een gevaarlijke geest wortelt in het hoofd van de mensen, die beginnen te denken dat Engeland van plan is hen te onderwerpen en te vernietigen...*'[1]

De Boston Tea Party

In 1773 laaide het smeulende conflict tussen Engeland en de koloniën plotseling op tot een oncontroleerbare brandhaard. De vonk was de Britse beslissing de Oost-Indische Compagnie toestemming te verlenen thee rechtstreeks aan de Amerikaanse kolonies te verkopen, in plaats van het bij opbod te verkopen aan bemiddelaars. De prijs van thee zou dramatisch dalen in de kolonies. Maar de invoerrechten op thee die opgelegd waren door de Townshendwet bleven gehandhaafd. De Zonen van de Vrijheid verwierpen het idee van het betalen van invoerrechten die opgelegd waren door het Britse Parlement.

Toen de eerste schepen met Oost-Indische thee in de Amerikaanse havens aankwamen ontmoetten ze overal weerstand. In Boston kwam het tot een uitbarsting. In november kwamen drie met thee geladen schepen, de *Dartmouth*, *Eleanor* en *Beaver*, in de haven van Boston aan. De plaatselijke bevolking, opgehitst door radicalen als Sam Adams en John Hancock, belette het uitladen van de thee. Maar de gouverneur van Massachusetts, de welgestelde Thomas Hutchinson, weigerde de schepen de haven te laten verlaten zonder dat hun vracht was uitgeladen. Hutchinson haatte en vreesde wat hij zag als 'bestuur van het gepeupel' in Boston. Hij had besloten dat het tijd was dat de autoriteiten een standpunt innamen.

Boven: *Samuel Adams, een van de leiders van de Zonen van de Vrijheid, stelde zijn leven in dienst van de strijd tegen de Britse wetten. In 1773 leidde hij de oppositie tegen de invoerrechten op thee.*

SAM ADAMS (1722-1803)

Samuel Adams, een voormalige belastinginspecteur die in Harvard had gestudeerd, was een van de vooraanstaande Zonen van de Vrijheid die het verzet tegen de Britse wetten organiseerden. Hij was een rebel van nature. Hij schreef: *'Als ik een meester moet hebben, laat het dan een strenge zijn. Ik zal voortdurend genegen zijn om de eerste eerlijke gelegenheid aan te grijpen om mijzelf van de tirannie te bevrijden.'*[2] Adams geloofde dat de Britten van plan waren alle Amerikanen tot slaven te maken, en hij speelde een leidende rol in het verzet tegen de Britse regels. Tijdens de Revolutie en daarna speelde hij een onderscheidende rol in de politiek.

Boven: *De burgers van Boston juichen als radicalen, vermomd als Indianen, kisten met thee in het water gooien. Deze 'Boston Tea Party' overtuigde de Britse regering ervan dat er strikte maatregelen nodig waren om de bewoners van Boston te dwingen de wetten na te leven.*

Op 16 december was er een grote bijeenkomst bij het Boston Old South Meeting House. De vergadering, onder voorzitterschap van Sam Adams, stemde er voor dat de drie met thee beladen schepen onmiddellijk moesten vertrekken. De commandant van de schepen vroeg gouverneur Hutchinson hiervoor toestemming, maar zijn verzoek werd afgewezen. Kort na 6 uur 's avonds sloeg Adams driemaal met zijn voorzittershamer en verklaarde: *'Deze vergadering kan niets meer doen om het land te redden.'* Het was het sein tot actie. Zonder Britse soldaten om hen tegen te houden renden ongeveer 1000 mensen naar beneden waar de schepen voor anker lagen. Ze werden aangevoerd door een groep die verkleed ging als Indianen en bewapend was met bijlen. Ze klommen aan boord, braken de theekisten open en gooiden de inhoud in het water, aangemoedigd door een grote menigte toeschouwers.

DE DERTIEN KOLONIES

Voor het uitbreken van de Revolutie waren er weinig banden tussen de dertien Britse kolonies. Naburige kolonies waren dikwijls vijandig tegenover elkaar, en maakten ruzie over landsgrenzen en handel.

De meeste kolonies waren Koninklijke Kolonies. Ze werden officieel bestuurd door een gouverneur die was aangesteld door Engeland. Alleen Rhode Island en Connecticut hadden hun eigen gouverneur. Pennsylvania, Maryland en Delaware waren Particuliere Kolonies, die onder gezag van een enkele familie stonden – de Penns in Pennsylvania en Delaware, en de Calverts in Maryland.

In de praktijk waren alle kolonies gewoon hun eigen zaken te regelen met een gekozen vergadering. Het stemmen was voorbehouden aan de blanke, mannelijke grondbezitters – de armen, vrouwen, Indianen en Afrikaanse Amerikanen waren hiervan uitgesloten. Welgestelde landeigenaren, kooplieden en advocaten waren ruim vertegenwoordigd in de gekozen vergadering, maar de kolonies waren nog steeds heel wat democratischer dan Engeland of enig ander Europees land in die tijd.

Ten noorden van de dertien kolonies bestuurde Engeland Quebec en Nova Scotia. Deze Canadese kolonies deden niet mee aan de Amerikaanse Revolutie, evenmin als het Britse eigendom Florida in het zuiden.

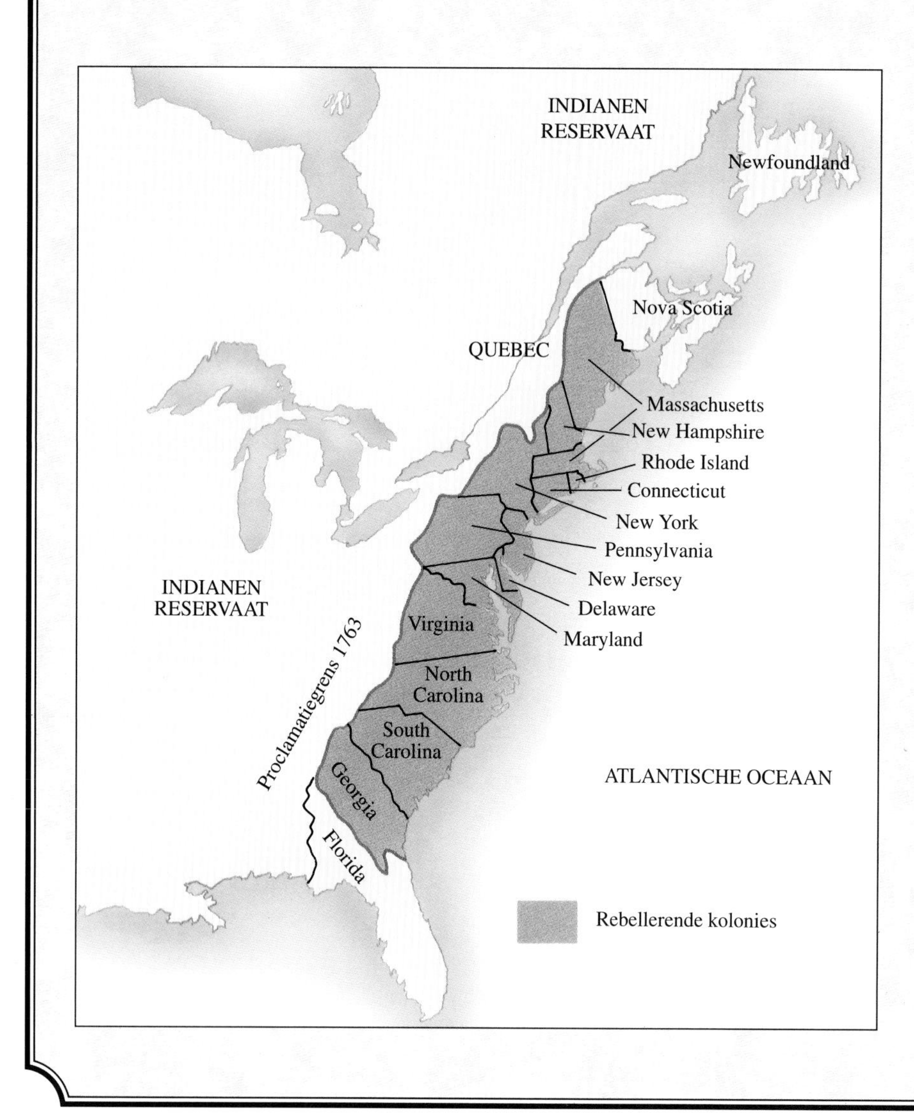

Links: *Op deze kaart is te zien hoe Noord-Amerika voor de Amerikaanse Revolutie was verdeeld in verschillende Britse kolonies. De grootste afzonderlijke kolonie, wat betreft welstand en inwonertal, was Virginia. De Britten hadden al het land ten westen van de Appalachen gereserveerd voor de Indianen.*

Boven: *Aan het begin van het Eerste Continentale Congres, dat bijeen kwam in Carpenters' Hall in Philadelphia, wordt gebeden. Het Congres kwam overeen een boycot van Britse handel te bewerkstelligen. Afgevaardigden riepen de Britse regering op het natuurlijke recht van de Amerikanen op 'leven, vrijheid en bezit' te erkennen.*

De Ontoelaatbaarheidswetten

De 'Boston Tea Party', zoals het bekend werd, was een symbolische daad in het trotseren van Engeland. De Britten besloten dat de mensen in Massachusetts die in strijd met de wet handelden een lesje moesten krijgen. In 1774 voerde het Britse Parlement vier maatregelen door, die in Amerika bekend werden als de Ontoelaatbaarheidswetten. De meest hardvochtige van deze maatregelen was dat de haven van Boston gesloten werd totdat de thee was betaald. De Britse legercommandant generaal Thomas Gage werd tot gouverneur van Massachusetts benoemd, en hij bracht de kolonie onder militair bestuur. De 'roodrokken' marcheerden Boston weer binnen.

De Britten hoopten dat Massachusetts geïsoleerd zou raken, maar alle kolonies verenigden zich om Massachusetts te steunen. Een politicus uit South Carolina, David Ramsay, vertolkte de gevoelens van de meeste Amerikanen toen hij verklaarde de Ontoelaatbaarheidswetten als 'een compleet systeem van tirannie' te beschouwen. De andere kolonies vreesden dat wat met Massachusetts gebeurde ook met hen zou kunnen gebeuren. In september 1774 zonden alle kolonies, behalve Georgia, vertegenwoordigers naar het Eerste Continentale Congres in Philadelphia in de staat Pennsylvania. Het congres stemde in met het instellen van een Continentaal Genootschap om een boycot van Britse invoer te bewerkstelligen. Het Congres verklaarde stoutmoedig dat alleen de gekozen koloniale leden van de assemblée het recht hadden wetten voor de Amerikanen aan te nemen en belasting van hen te heffen. Het Congres riep op tot verzet tegen de Ontoelaatbaarheidswetten.

Links: *Generaal Thomas Gage, de Britse militaire gouverneur van Massachusetts wordt bezocht door kinderen uit Boston die pleiten voor een eerlijker behandeling voor hun stad. De zwarte bediende die het vuur oppookt is bijna zeker een slaaf.*

In New England namen de patriotten het recht in eigen hand. Theedrinkers werden bedreigd, en veel mensen legden in het openbaar een eed af nooit meer thee te zullen drinken. Belastinginners en andere beambten werden met teer en veren besmeurd. Sommige vooraanstaande pro-Britse Amerikanen, waaronder gouverneur Thomas Hutchinson, vluchtten naar Engeland uit vrees voor hun leven.

De bevolking van Massachusetts trotseerde de militaire regering van generaal Gage. De wetgevende macht van Massachusetts, ontbonden door Gage, kwam op eigen gezag bijeen als Provinciaal Congres en nam het daadwerkelijke bestuur van Massachusetts ter hand. Er werd een Comité van Openbare Veiligheid opgericht, aangevoerd door John Hancock. Het spoorde de gemeenschappen aan om plaatselijke milities te trainen om verzet te bieden aan het Britse bestuur. Ook de Britten bereidden zich voor op een treffen. In november 1774 verklaarde koning George III dat *'een handgemeen moet beslissen of ze onderdaan van dit land zullen zijn of onafhankelijk.'*[3] De toon voor oorlog was gezet.

Boven: *George III was zestig jaar lang koning van Engeland, van 1760 tot 1820. Ten tijde van de Amerikaanse Revolutie was hij een jonge en actieve bestuurder, maar in zijn latere leven leed hij aan blindheid en aanvallen van waanzin.*

Links: *Deze spotprent verbeeldt het gewelddadige Amerikaanse verzet tegen de Britse ambtenaren. Een belastinginner is met teer en veren ingesmeerd en wordt gedwongen de gehate Britse thee te drinken.*

Rechts: *Patrick Henry houdt zijn beroemde speech in Williamsburg in Virginia. Na de revolutie werd Henry gouverneur van Virginia.*

WAAROM DE KOLONIES IN OPSTAND KWAMEN

De betrekkingen tussen Engeland en de dertien kolonies werden slechter na het eind van de Zevenjarige Oorlog (die in Amerika de Franse en Indiaanse oorlog werd genoemd), in 1763, waardoor de Fransen uit Noord-Amerika verdreven werden. Tot die tijd had Engeland weinig aandacht besteed aan z'n kolonies. Maar nu besloot men permanent een leger te stationeren in Noord-Amerika en men wilde dat de kolonies daarvoor betaalden. De meeste Amerikanen waren verbolgen over de aanwezigheid van het leger, en niemand wilde betalen voor de kosten van het onderhoud.

Toen het Britse Parlement belastingen wilde gaan heffen in de kolonies, weigerden de Amerikanen wat zij noemden 'belastingheffing zonder vertegenwoordiging'. De Amerikanen vonden dat mensen alleen belasting zouden hoeven betalen die goedgekeurd was door een afvaardiging die zij hadden gekozen. Daar de Amerikaanse burgers het Britse Parlement niet gekozen hadden kon dit ook geen belasting van hen eisen. De advocaat James Otis uit Massachusetts schreef: *'Belastingheffing zonder vertegenwoordiging is tirannie.'*

De Britten probeerden vervolgens de Amerikaanse bezwaren tegen belastingen te omzeilen door in plaats daarvan invoerrechten te gaan heffen. Ze betoogden dat invoerrechten een buitenlandse belasting was, en dat iedereen het Britse recht om de handel van zijn kolonies te controleren aanvaardde. Maar de Amerikaanse kolonies verwierpen ook dit, met de bewering dat de Britten alleen invoerrechten konden heffen met instemming van de koloniale assemblées.

De Britse regering wilde meer greep op de Amerikaanse kolonies. Ze zagen zichzelf als handhavers van orde en gezag tegenover rebellerende radicalen. Maar veel Amerikanen vonden dat de Britten zelf de geest van de wet schonden. Ze dachten dat de Britten er op uit waren traditionele vrijheden aan banden te leggen, vooral na de Ontoelaatbaarheidswetten van 1774. De Amerikanen vonden hun verzet tegen deze tirannie gerechtvaardigd, desnoods met geweld.

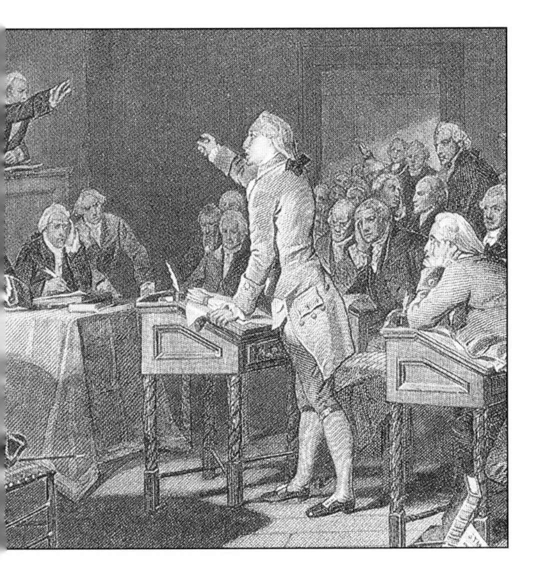

VRIJHEID OF DE DOOD

De advocaat Patrick Henry gaf schitterend uitdrukking aan het Amerikaanse verzet tegen het Britse beleid tijdens zijn toespraak tot het House of Burgesses (Lagerhuis) in Virginia op 23 maart 1775. De speech, een bezielende aansporing tot actie, eindigde als volgt: *'Waarom staan wij hier werkloos?... Is het leven zo kostbaar, of de vrede zo zoet, dat het verkregen moet worden tegen de prijs van kettingen en slavernij? Verhoed het, Almachtige God! Ik weet niet welke koers anderen zullen volgen, maar wat mijzelf betreft, geef me vrijheid, of geef me de dood!'*

'Het Schot Dat Overal Ter Wereld Werd Gehoord'

De Britse militaire gouverneur in Massachusetts, generaal Thomas Gage, was in het begin van 1775 niet erg optimistisch over zijn functie. Zijn politieke leiders 5000 kilometer verderop in Engeland spoorden hem vertrouwelijk aan korte metten te maken met de rebellen. Ze dachten dat de rebellie het werk was van een kleine groep radicalen. Maar Gage wist dat de meeste mensen in Massachusetts de rebellie steunden. Het Comité van Openbare Veiligheid van John Hancock organiseerde in elke stad en in elk dorp milities (burgerlegers). Boeren en winkeliers haalden hun jachtgeweren tevoorschijn en oefenden in het exerceren op de meent. Deze gewapende burgers werden 'minutemen' genoemd, omdat ze gezworen hadden binnen een minuut klaar te staan om te vechten. De roodrokken van generaal Gage hadden alleen Boston onder controle. De rest van Massachusetts was vijandig gebied.

Boven: *Een groep Amerikaanse 'minutemen' in opmars. De minutemen waren meestal boeren en winkeliers, maar hun moed maakte het gebrek aan militaire geoefendheid meer dan goed.*

Links: *Paul Revere maakt een nachtelijke rit om de inwoners van Lexington te waarschuwen dat er Britse soldaten in aantocht zijn. Hoewel de nachtelijke rit van Revere het bekendst is waren er die nacht nog twee ruiters: Samuel Prescott en William Dawes.*

In de nacht van 18 op 19 april 1775 verlieten zestien zorgvuldig geselecteerde compagnieën Britse soldaten Boston op een geheime missie naar het gebied van de rebellen. Ze waren van plan de stad Concord te overvallen, 25 kilometer verderop, en een grote wapenopslag van de rebellen te vernietigen. Ze hadden ook opdracht gekregen Sam Adams en John Hancock te arresteren. Maar het geheim van de aanval was bekend aan plaatselijke patriotten. Zodra de soldaten op weg gingen, trokken ook drie Amerikaanse boodschappers eropuit, waaronder Paul Revere. Met halsbrekende snelheid over de maanverlichte straten rijdend, waar gepatrouilleerd werd door Britse soldaten, slaagden ze erin de plaatselijke minutemen te waarschuwen. Paul

TIJDSCHAAL

1775
19 april:
Het burgerleger van Massachusetts raakt in Lexington en Concord slaags met het Britse leger.
10 mei: Fort Ticonderoga valt in handen van de rebellen onder leiding van Ethan Allen en Benedict Arnold.
15 juni: Vorming van het Continentale Leger onder commando van George Washington.
17 juni: De Britten verslaan de Amerikanen in de slag bij Bunker Hill, maar ten koste van veel levens aan Engelse zijde.

1776
10 januari: *Common Sense* (Gezond Verstand) van Thomas Paine wordt gepubliceerd, een pamflet waarin geroepen wordt om onafhankelijkheid en een republikeinse regering.
17 maart: Het Britse leger verlaat Boston.
Juni: De laatste Amerikaanse rebellen worden uit Canada verdreven.
4 juli: Het Congres keurt de Onafhankelijkheidsverklaring goed.

Revere werd uiteindelijk gevangengenomen door de Britten, en had geluk dat hij het er levend af bracht.

De belangrijkste Britse legermacht bereikte bij zonsopgang het dorp Lexington. Ze werden opgewacht door zeventig plaatselijke milities, aangevoerd door kapitein John Parker, die opgesteld stonden op het dorpsplein. Omdat ze hopeloos in de minderheid waren besloten de Amerikanen zich te verspreiden. Plotseling klonk een schot. Niemand wist wie er gevuurd had, maar de Britse soldaten vuurden onmiddellijk een aantal schoten af. Na een kort, eenzijdig gevecht lagen acht Amerikanen dood op de grond.

De Britten trokken verder naar Concord, waar bij de North Bridge het gevecht in ernst begon. Aangespoord door woede vanwege de invasie van hun stad, dreven enkele honderden milities hun aanvallers terug. De Britse officieren waren gedwongen het bevel tot terugtrekken te geven. De dichter Ralph Waldo beschreef later het eerste schot bij North Bridge als 'het schot dat overal ter wereld werd gehoord'. Het was het werkelijke begin van de Onafhankelijkheidsoorlog.

Terwijl ze uitgeput terugstrompelden van Concord naar Boston, werden de roodrokken genadeloos geteisterd door verborgen scherpschutters langs de kant van de weg. Een Britse soldaat, Ensign Jeremy Lister, schreef dat *'er voortdurend van alle kanten op ons gevuurd werd, van achter heggen en muren.'*[4] Mannen van de omliggende boerderijen dromden samen om de Britten onder vuur te nemen. Luitenant John Barker beschreef hoe de aantallen rebellen toenamen *'terwijl wij werden gereduceerd vanwege doden, gewonden en vermoeidheid, en we totaal omringd waren door zodanig onophoudelijk vuren dat onmogelijk onder woorden is te brengen.'*[5]

Drieënzeventig Britse soldaten werden gedood en ongeveer 200 man raakte gewond of vermist. Ze hadden een vernederende nederlaag geleden.

Onder: *Het Britse leger marcheert Concord binnen, op 19 april 1775. Het gewapende verzet van de Amerikaanse rebellen was een zware schok voor de Britse bevelhebbers.*

De Slag bij Bunker Hill

Toen de Britse soldaten eenmaal terug in Boston waren, bouwden de milities van de rebellen versterkingen op de wegen en heuvels aan de rand van de stad. De enige manier waarop de Britten nu nog Boston in of uit konden was via de zee. In mei 1775 arriveerden troepenversterkingen uit Engeland, samen met nog drie generaals, William Howe, John Burgoyne en Henry Clinton. Ze overtuigden Gage ervan dat hij de controle over de heuvels van het nabijgelegen schiereiland Charlestown moest zien te krijgen voordat de rebellen hier kanonnen op zouden stellen om Boston te beschieten. Maar opnieuw ontdekten de rebellen de plannen van Gage. Op 16 juni namen zij een verdedigende positie in op Bunker Hill en op Breed's Hill, voordat de Britten hun plannen uit konden voeren.

Onder: *Op deze kaart wordt de positie van de Amerikaanse en Britse troepen bij Bunker Hill aangegeven, een van de bloedigste slagen van de Revolutie.*

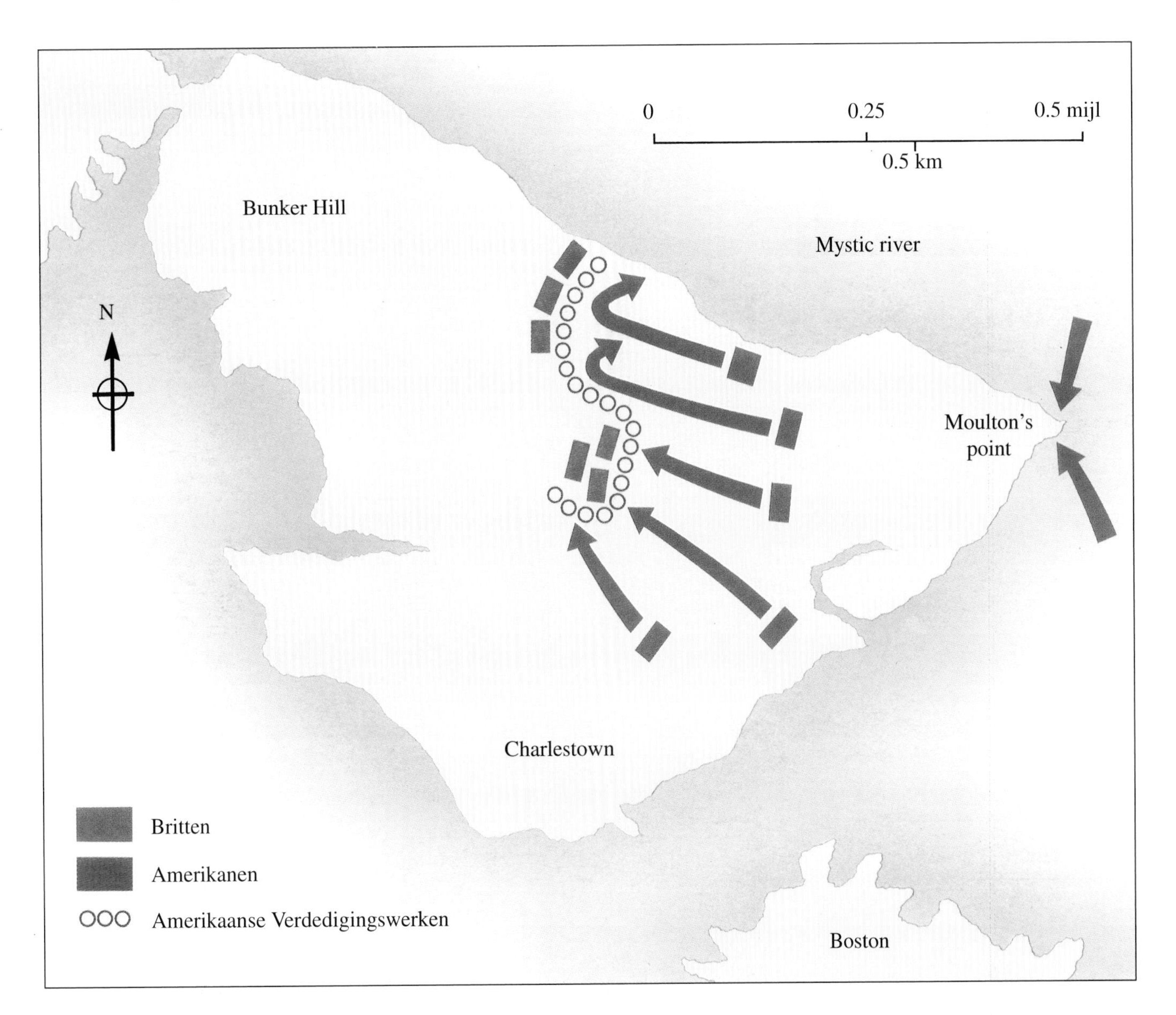

De volgende dag opende Gage een aanval op Breed's Hill. Toeschouwers bezetten de hoge punten van Boston om goed zicht op de aanval te hebben. Generaal Burgoyne beschreef het als 'een van de grootste oorlogstaferelen die je je kunt bedenken'. Britse oorlogsschepen beschoten de Amerikaanse stellingen en Charlestown stond in brand. In hun helderrode jassen marcheerden de Britse soldaten in een lijn de heuvel op. Maar in de loopgraven wachtten de milities.

De Amerikaanse milities hadden opdracht gekregen pas te schieten 'als het wit van de ogen van de vijand te zien is'. Toen ze hun eerste salvo losten raakten de voortmarcherende Britse strijdkrachten in verwarring. Telkens opnieuw hervatten de Britten hun opmars, om telkens opnieuw onder vuur te worden genomen. Uiteindelijk braken de Britten, toen de Amerikanen bijna zonder munitie zaten, door hun linies heen. De roodrokken staken om zich heen met hun dodelijke bajonetten en staken de vluchtende milities neer. In het gedrang om te ontsnappen van Breed's Hill en Bunker Hill werden meer dan 400 Amerikanen gedood of gewond. Maar de Britten hadden meer dan 1000 man verloren, en hoewel ze de overwinning opeisten was het een bittere overwinning.

Boven: *Een rijke Amerikaan die de Britten steunt wordt door patriottische rebellen uit de stad gegooid. De rebellen hebben hem vastgebonden en dragen hem door de straten zodat iedereen hem kan zien.*

DE PATRIOTTEN VERDRIJVEN EEN GOUVERNEUR

In juli 1775 werd het huis van de gouverneur van New Hampshire, John Wentworth, omsingeld door Amerikaanse patriotten. Zijn vrouw Frances beschreef hoe de patriotten de gouverneur en zijn gezin dwongen te vluchten: *'Ze stoven op het huis af met knuppels, sleepten een groot kanon voor de deur en dreigden dat ze dwars door het huis zouden schieten. Ze waren zo wreed te beweren dat niemand, man, vrouw of kind, levend zou ontsnappen... We verlieten het huis in grote haast. Het was bewolkt en mistig weer. We stapten in een boot met ons arme kind en haastten ons weg. We hadden geen tijd meer om een muts of een deken voor hem te pakken, maar prezen onszelf gelukkig dat we hem levend mee hadden gekregen... Ze waren zo wreed geweest om te zeggen dat als ze het dikke kind van de gouverneur te pakken konden krijgen ze hem doormidden zouden splijten en zouden roosteren.'*[6]

Links: *De Britse generaal John Burgoyne had als bijnaam 'Gentleman Johnny' vanwege zijn goede smaak en zin voor de 'aangename kanten' van het leven. Zijn militaire carrière kwam oneervol ten einde in Saragota, maar later vierde hij triomfen als schrijver van blijspelen.*

Rechts: *De slag bij Bunker Hill, gezien vanaf het dek van een Brits oorlogsschip. Terwijl de roodrokken de Amerikaanse stellingen aanvallen, wordt het dorp Charlestown in brand gestoken door patronen uit de kanonnen van de Britse schepen.*

Nationale opstand

Toen de oorlog uitbrak in Massachusetts, stortte de Britse macht in alle dertien kolonies in. Een voor een werden de door de Britten benoemde gouverneurs er uit gegooid en een Provinciaal Congres nam het bestuur over. De graaf van Dunmore, gouverneur van Virginia, riep de staat van beleg uit en probeerde een troepenmacht van loyalisten op de been te brengen. Maar zelfs hij moest zich op een Brits fregat verschansen toen mensen plunderend door de straten van de hoofdstad van Virginia, Williamsburg, trokken. In sommige gebieden vochten pro-Britse Amerikanen terug.

Op 10 mei 1775 kwam het Tweede Continentale Congres bijeen in Philadelphia. Tot de leden van het Congres behoorden Thomas Jefferson, Benjamin Franklin, John en Sam Adams, John Hancock en Richard Henry Lee. Het Congres stemde in met de vorming van een permanent Continentaal Leger. Het zou een sterkere troepenmacht zijn dan de milities, die slechts in deeltijd naast hun eigen beroep soldaat waren, met mannen uit alle dertien kolonies. Dit leger kwam onder het bevel van een 43-jarige landeigenaar uit Virginia, generaal George Washington.

THOMAS JEFFERSON (1743-1826)

Thomas Jefferson werd in 1743 geboren. Net als George Washington was hij een welgestelde plantage-eigenaar. Hij schreef in 1776 het eerste ontwerp van de Onafhankelijkheidsverklaring en werd in 1789 de eerste minister van Buitenlandse Zaken van de Verenigde Staten. Als president, van 1801-1809, heeft zijn geloof in redelijkheid en vooruitgang een blijvend stempel gedrukt op de Amerikaanse natie, en het is vooral zijn humaniteit die van onvergankelijke waarde is gebleken.

Jefferson geloofde oprecht in vrijheid voor iedereen, maar net als alle andere landeigenaren in Virginia had ook hij slaven. Dit was een tegenstrijdigheid waar hij nooit helemaal overheen kwam. Jefferson stierf op 4 juli 1826, de vijftigste verjaardag van de Onafhankelijkheidsverklaring, in Monticello in Virginia. Zijn makker van het eerste uur, John Adams, stierf toevalligerwijs op dezelfde dag.

Boven: *Buiten zijn politieke activiteiten was Thomas Jefferson een bekwame filosoof en een succesvolle architect.*

Boven: *Generaal George Washington was bevelhebber van het Continentale Leger. Voordat Washington maatregelen trof om de militaire discipline te vergroten, was het leger dikwijls een wanordelijke bende.*

Rechts: *Vrouwen in Philadelphia naaiden kleding voor de Amerikaanse soldaten. Veel Amerikaanse vrouwen steunden de Revolutie, maar de mannen stonden hen niet toe deel te nemen aan gevechten of politieke debatten.*

'DENK AAN DE DAMES'

In 1776 spoorde Abigail Adams, de vrouw van John Adams, haar man aan 'aan de dames te denken' bij het vormen van de nieuwe Verenigde Staten. Maar de politieke of wettelijke rechten van de vrouwen verbeterden niet tijdens de Revolutie. Ze kregen geen stemrecht en ze bleven onder het gezag van hun vader of echtgenoot staan.

Vrouwen droegen echter veel bij aan de Revolutie. Abigail Adams zorgde, net als andere echtgenotes in de hele Verenigde Staten, voor het familiebedrijf terwijl de mannen weg waren voor politieke zaken of oorlogvoering. De armere vrouwen voerden daadwerkelijk taken uit in het leger als verpleegster of voor hulp in het algemeen. Maar de bijdrage van vrouwen aan de Revolutie werd door de mannen niet erg op waarde geschat.

In het begin was het Continentale Leger, dat buiten Boston gelegerd was, zwak en slecht gedisciplineerd. Als gelegenheidssoldaten hadden de Amerikanen met hun onafhankelijke geest gevochten als tijgers, maar zij hadden veel moeite met de dagelijkse legerdiscipline. Officieren werden dikwijls niet gehoorzaamd en desertie was aan de orde van de dag. Washington nam strenge maatregelen. Een legerpredikant, William Emerson, rapporteerde: *'Iedereen moet leren zijn plaats te kennen en zich gedragen, anders wordt hij vastgebonden en krijgt veertig of vijftig zweepslagen, al naar gelang zijn misdragingen.*[7]

Omdat het zo slecht georganiseerd en slecht uitgerust was, was het leger van Washington erg kwetsbaar in deze tijd. Maar de Britten bleven in het defensief, ingesloten in Boston. Intussen nam een Amerikaanse legereenheid onder leiding van de voormalige scheepseigenaar Benedict Arnold uit New Haven en een rebellerende pionier, Ethan Allen, Fort Ticonderoga aan de zuidpunt van Lake Champlain in. In de winter van 1775-1776 trokken de Amerikanen noordwaarts Quebec in. De lokale bevolking van Franse kolonisten weigerde echter in opstand te komen tegen de Britten, en de Amerikanen werden terug gedreven.

In de lente van 1776 was het Britse leger in Boston in een beklagenswaardige staat. Bevroren en verveeld hadden ze de hele winter door moeten brengen in ledigheid. Ze moesten gebouwen afbreken om aan brandhout te komen. De voedselvoorraden raakten uitgeput. Buiten de stad lag een leger van George Washington dat bestond uit 17.000 man.

GEORGE WASHINGTON (1732-1799)

George Washington wordt dikwijls 'de vader van zijn land' genoemd. Hij werd geboren in 1732 en was een welgestelde plantage eigenaar in Virginia. Tijdens de Revolutie werd hij generaal en voerde het bevel over het Continentale Leger. Nadat in 1783 de vrede met Engeland was getekend, trok Washington zich terug op zijn landgoed in Mount Vernon, met de bedoeling daar te gaan leven 'als een sober mens op mijn eigen boerderij'. In 1789 stemde Washington er schoorvoetend in toe de eerste president van de Verenigde Staten te worden, maar hij weigerde daarvoor een salaris aan te nemen. Washington stierf in 1799.

Rechts: *Tijdens de Zevenjarige Oorlog, die eindigde in 1763, vocht George Washington in het burgerleger van Virginia. Hier draagt hij het uniform van de Virginia Militia.*

Boven: *Generaal William Howe leidt in de nacht van 17 maart 1776 de evacuatie van de Britse troepen uit Boston. De volgende dag nam het leger van Washington de stad in.*

SCHERPSCHUTTERS

In de zomer van 1775 kwamen tien compagnieën kolonisten uit het grensgebied aan in het kamp van Washington. Deze mannen droegen mocassins en droegen tomahawks bij zich. Uitgerust met het befaamde Kentucky geweer, waren ze volgens John Adams 'de meest trefzekere scherpschutters ter wereld.' Een Engelsman verklaarde dat deze scherpschutters 'negen van de tien keer een kaart kunnen raken op een afstand van 150 yards (13 meter).

Tijdens de hele Onafhankelijkheidsoorlog eisten de scherpschutters een hoge tol van de Britse troepen, vooral onder officieren. De Britse soldaten waren bewapend met niet erg accurate musketten en vochten meestal in het open veld. Ze vreesden en verfoeiden het Amerikaanse gebruik van sluipschutters die zich verborgen achter bomen en rotsblokken.

De rebellen hadden een lied waarin zij de draak staken met de Britse houding: *'Het was niet eerlijk om ons te beschieten door achter bomen te gaan staan. Als ze zoals het hoorden recht voor onze geweren waren gaan staan, hadden wij ze met gemak kunnen verslaan.'*

Onder: *Deel van een aanplakbiljet waarop vrijwilligers worden geworven voor het Continentale Leger. Duidelijk wordt het mooie nieuwe uniform en de oefeningen met de wapens getoond.*

In maart stelden de rebellen kanonnen op op de Dorchester Heights die boven Boston uittorenden, en begonnen de stad te beschieten. Generaal Howe, die het bevel had overgenomen van de in ongenade gevallen generaal Gage, besloot dat zijn positie in Boston onmogelijk was. Op 17 maart scheepte hij in het duister zijn mannen in, samen met 1000 getrouwe Amerikanen. Ze zeilden naar Nova Scotia. De juichende soldaten van Washington marcheerden Boston binnen. Voor het moment was het Britse leger uit alle dertien kolonies verdreven.

EEN SCHANDVLEK OP DE NAAM SOLDAAT

George Washington beschreef de soldaten van zijn Continentale Leger als 'een buitengewoon smerig en lastig volk'. Een bezoeker aan een legerkamp bevestigde in 1775 dat de soldaten buitengewoon vies waren, en schreef: *'Het leger is over het algemeen... buitengewoon erbarmelijk gekleed en bestaat uit zo'n stelletje vieze stervelingen dat ze de naam soldaat te schande maken. Er zijn in het kamp geen vrouwen om de was te doen voor de mannen, en zij zijn zelf over het algemeen niet gewend zulke dingen te doen... ze verkiezen eerder om hun linnengoed te laten rotten op hun lijf dan de moeite te nemen het te wassen.'*

Als de mannen wel een bad namen, veroorzaakte dat ook problemen. Generaal Washington was gedwongen het baden te verbieden *'in de buurt van de brug in Cambridge, waar waargenomen en geklaagd is dat vele mannen, met totaal gebrek aan fatsoen en goede manieren, naakt op de brug rondrennen terwijl passanten, en zelfs vrouwen van goede huize uit de buurt, zich op de brug bevinden, alsof ze trots zijn op hun schaamteloos gedrag.'*[9]

De weg naar onafhankelijkheid

De meeste Amerikanen waren terughoudende revolutionairen. Toen het Tweede Continentale Congres in mei 1775 bijeen kwam, was maar een kleine minderheid van de afgevaardigden voor onafhankelijkheid van Engeland. In juli zond het Congres koning George III de 'Olijftak Petitie'. Daarin werd trouw gezworen aan de koning en de wens tot verzoening geuit. Het antwoord van de koning was een proclamatie waarin opgeroepen werd tot het gebruik van macht om de 'openlijke rebellie' in de kolonies te onderdrukken.

De Amerikanen hadden echter ook vrienden in Engeland. Britse radicalen, waaronder John Wilkes en Tom Paine, steunden de kolonisten, en de staatsman Edmund Burke pleitte voor een overeenkomst om een eind te maken aan de 'Amerikaanse problemen', maar het was tevergeefs. De koning en zijn eerste minister, Lord North, waren vastbesloten de Amerikaanse Revolutie met geweld te breken.

Veel Amerikanen betoogden dat, hoewel ze zich verzetten tegen het bestuur van het Britse Parlement, ze trouw bleven aan de koning.

Onder: *Het vijf man tellende comité onder leiding van Thomas Jefferson dat de Onafhankelijkheidsverklaring opstelde, overhandigt het document aan het Congres.*

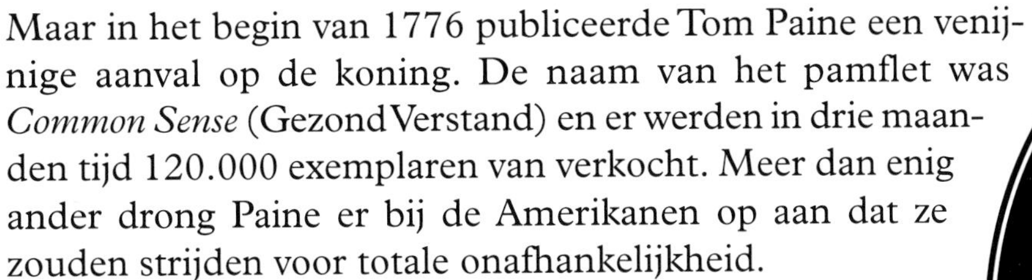

Maar in het begin van 1776 publiceerde Tom Paine een venijnige aanval op de koning. De naam van het pamflet was *Common Sense* (Gezond Verstand) en er werden in drie maanden tijd 120.000 exemplaren van verkocht. Meer dan enig ander drong Paine er bij de Amerikanen op aan dat ze zouden strijden voor totale onafhankelijkheid.

In april 1776 was North Carolina de eerste kolonie die de afgevaardigden naar het Congres opdracht gaf voor onafhankelijkheid te stemmen. In mei deed Virginia hetzelfde. Op 7 juni stelde de afgevaardigde uit Virginia, Richard Henry Lee, voor *'dat dit Verenigde Kolonies zijn, en het recht zouden moeten hebben vrije en onafhankelijke staten te worden.'*

Terwijl de Onafhankelijkheidsverklaring werd opgesteld in juli, zorgde de kwestie van onafhankelijkheid nog steeds voor verhitte debatten. Sommige kolonies, waaronder Pennsylvania en New York, besloten pas op het allerlaatste moment de onafhankelijkheid te steunen. Maar op 4 juli 1776 werd de Verklaring dan toch goedgekeurd. De dertien kolonies werden de Verenigde Kolonies. In september werd deze naam gewijzigd in de Verenigde Staten. Een nieuw tijdperk in de geschiedenis van de mensheid was begonnen.

Boven: *Richard Henry Lee, een van de afgevaardigden uit Virginia, was de eerste die voorstelde dat de dertien kolonies zichzelf volledig onafhankelijk van Engeland zouden verklaren.*

DE ONAFHANKELIJKHEIDSVERKLARING

Op 11 juni 1776 benoemde het Congres een comité van vijf mannen – Benjamin Franklin, Thomas Jefferson, John Adams, Robert Livingston en Roger Sherman – om een Verklaring van Onafhankelijkheid op te stellen. De eerste opzet van de Verklaring was gemaakt door Thomas Jefferson. Het uiteindelijke document werd op 4 juli goedgekeurd door het Congres.

De Verklaring bevatte revolutionaire politieke ideeën. Het verwoordde een idealistisch geloof in gelijkheid, mensenrechten en bestuur met algemene instemming: *'We houden deze waarheden als zichzelf bewijzend; dat alle mensen gelijk geschapen zijn; dat hen door hun Schepper zekere onvervreemdbare rechten gegeven zijn; dat hiertoe behoren leven, vrijheid, en het streven naar geluk; dat om deze rechten te waarborgen er regeringen zijn ingesteld van mannen, die hun macht ontlenen aan het gekozen zijn door de bestuurden; dat wanneer enige vorm van bestuur deze rechten veronachtzaamt, het het recht van het volk is om het bestuur te veranderen of af te zetten…'*

De eerste man die de Onafhankelijkheidsverklaring ondertekende was John Hancock. Hij tekende zo zwierig, dat zijn naam in de volksmond in Amerika gebruikt wordt voor het woord handtekening.

Het Verdedigen van de Onafhankelijkheid

De Amerikanen waren een revolutie gestart. Nu moesten ze die verdedigen. Begin juli 1776, toen over de Onafhankelijkheidsverklaring werd gedebatteerd in het Congres, landde een Brits leger onder bevel van generaal Howe op Staten Island in New York. De taak van Howe was het heroveren van Noord-Amerika. In het begin leek dit geen onmogelijke onderneming. Veel Amerikaanse troepen die Long Island en Manhattan verdedigden waren voor het eerst bij een strijd betrokken. Geconfronteerd met de zware kanonnen en de musketten en bajonetten van de beroepssoldaten, sloegen ze in grote angst op de vlucht. Hoewel Howe langzaam was en weinig verbeeldingskracht bezat, dreef hij toch de troepen van Washington geleidelijk achterwaarts en nam hij in september de stad New York in. Het was duidelijk dat de oorlog lang en kostbaar zou worden.

Als Amerikaanse bevelhebber had Washington een niet bepaald benijdenswaardige taak. Hij had constant een tekort aan mannen, wapens en geld om zijn troepen uit te betalen. De sol-

'Slechts een leven te verliezen'

Nadat de Britten in september 1776 Long Island hadden bezet, werd een 21-jarige Amerikaanse officier, Nathan Hale, eropuit gestuurd om achter de Britse linies inlichtingen te verzamelen. Hij werd gevangengenomen door de Britten en vanwege spionage opgehangen. Volgens de overlevering zei Hale, met de galg in zicht: *'Ik betreur slechts dat ik maar één leven heb om te verliezen voor mijn land.'*[10] De moed waarmee hij zijn dood onder ogen zag maakte hem onder de Amerikaanse rebellen tot een held. Zijn voorbeeld bemoedigde hen tijdens een donkere en moeilijke fase van de oorlog.

Rechts: *Nathan Hale vlak voor zijn executie vanwege spionage.*

daten waren doodgewone volksmensen die ernaar verlangden naar huis, naar hun boerderijen en winkels terug te keren. Velen zwierven terug naar huis zodra ze daaraan behoefte hadden. Toen de oorlog langer duurde konden er niet meer genoeg vrijwilligers gevonden worden, dus moesten soldaten opgeroepen worden voor dienstplicht. De dienstplichtigen waren dikwijls arme mensen, omdat welgestelde mensen in staat waren zich onder de dienstplicht uit te kopen.

Links: *Britse soldaten bezetten in september 1776 de straten van New York. Veel inwoners van New York waren loyalisten en gaven de Britten een warm onthaal.*

VERDEELDHEID ONDER DE AMERIKANEN

Over het algemeen wordt aangenomen dat ongeveer 20 procent van de Amerikanen loyalisten waren die de Britse zaak steunden, 40 procent patriotten waren die geestdriftig de onafhankelijkheid steunden, en dat de overige 40 procent geen mening had.

Dit betekende dat de Onafhankelijkheidsoorlog ook een burgeroorlog was. Tot de loyalisten behoorden allerlei soorten mensen, van landbouwarbeiders en boeren tot welgestelde kooplieden en landeigenaren. Hele families waren verdeeld – Benjamin Franklin ondertekende de Onafhankelijkheidsverklaring, maar zijn zoon was hoofd van de Raad van Amerikaanse Loyalisten.

Toen de Britten in september 1776 Long Island in New York innamen, werden zij door veel plaatselijke bewoners met open armen ontvangen. Amerikaanse loyalisten vormden regimenten als de Royal Greens (Koninklijke Groenen), de Caledonian Volunteers (Caledonische Vrijwilligers) en Butler's Rangers (Butler's Commando's) die vochten aan de zijde van de Britten. Plaatselijke revolutionaire milities verdreven loyalisten uit hun huizen en namen hun bezittingen in beslag.

TIJDSCHAAL

1776
27 augustus: Generaal Washington wordt verslagen bij Long Island en trekt zich terug naar Manhattan.
15 september: De Britten nemen de stad New York in en vallen New Jersey binnen.
26 december: Generaal Washington verslaat de Britten onder generaal Howe in Trenton.
1777
26 september: Britse troepen bezetten Philadelphia. Het Congres vlucht naar veilig gebied.
17 oktober: De Britten onder bevel van generaal Burgoyne geven zich te Saratoga over aan de troepen van generaal Gates.
18 december: Generaal Washington slaat in Valley Forge een kamp op voor de winter.
1778
6 februari: De Verenigde Staten vormen een bondgenootschap met Frankrijk.
11 juli: De Franse vloot onder bevel van admiraal d'Estaing komt voor de kust van New York aan.

Het lukte generaal Washington echter om zijn leger intact te houden en geleidelijk aan keerde het tij voor de professionele soldaten van Engeland. Hoewel de Amerikanen weinig ervaring hadden met georganiseerde oorlogvoering hadden de meeste soldaten wel ervaring met het gebruik van wapens. Thomas Jefferson merkte op dat elke soldaat in het Amerikaanse leger 'al vanaf zijn kindertijd vertrouwd was met wapens.' Bovendien hadden de meeste Amerikanen vertrouwen in de goede afloop. Ze hadden het gevoel dat ze vochten voor hun eigendommen en voor vrijheden die voor hen belangrijk waren.

Daartegenover waren de Britse soldaten 5000 kilometer verwijderd van hun thuisbasis en waren ze in vijandig gebied. In 1776 begonnen ze gebruik te maken van Duitse huurlingen. Deze mannen, inwoners uit Hessen, maakten tenslotte eenderde van de Britse strijdkrachten uit en werden het mikpunt van de haat van de Amerikanen. Benjamin Franklin vervloekte de Britten

Boven: *Een schilderij van het gereedmaken van de Turtle voor een aanval op Britse oorlogsschepen voor de kust van Staten Island in New York – de eerste onderzeese operatie in de geschiedenis van de oorlogvoering.*

DE *SCHILDPAD* VAN BUSHNELL

De eerste onderzeese aanval ter wereld werd op 6 september 1776 uitgevoerd door een Amerikaans schip, de *Turtle* (schildpad). Dit schip probeerde de HMS *Eagle* op te blazen in de haven van New York, maar slaagde daar niet in. De *Turtle* was ontworpen door David Bushnell, afgestudeerd aan Yale University. Het schip was zeven meter lang en gemaakt van hout. De operateur dreef het schip onder water met behulp van een systeem van hefbomen en pedalen.

Het idee van Bushnell was dat de *Turtle* ongemerkt langszij een oorlogsschip kon komen en een vat met buskruit kon vastmaken aan de romp. Maar in de praktijk was de *Turtle* geen succes en werd het op 9 oktober 1776 door Britse oorlogsschepen tot zinken gebracht.

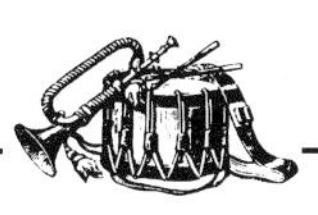

Boven: *Het schip van John Paul Jones,* Bonhomme Richard, *verslaat in 1779 twee Britse schepen.*

JOHN PAUL JONES (1747-1792)

De Amerikaanse kolonies waren rijk aan scheepseigenaren en zeelieden. In 1775 stichtten ze hun eigen marine. Een van oorsprong Schotse kapitein, John Paul Jones, bewees dat hij de uitblinker onder de rebellen ter zee was. Hij overviel Britse schepen en viel Britse havens aan. In 1779 behaalde hij voor de oostkust van Engeland met het schip *Bonhomme Richard* een glorieuze overwinning op twee Britse schepen, de *Separis* en de *Countess of Scarborough*.

vanwege het 'inzetten van buitenlandse huurlingen om onze nederzettingen te overstelpen met bloed.' In werkelijkheid maakten de Britten maar zelden gebruik van terroristische tactieken tegen Amerikaanse burgers.

Een overwinning bij Saratoga

Lange tijd bleef de strijd onbeslist, hoewel de Britten er over het algemeen beter voor stonden. In de winter van 1776-1777 behaalde Washington temidden van sneeuw en ijs enkele overwinningen te Trenton en Princeton in New Jersey. Maar in de daaropvolgende zomer gingen de troepen van generaal Howe opnieuw tot de aanval over. In september versloeg Howe Washington in de slag bij Brandywine. Het leger van Howe bezette de rebellenhoofdstad Philadelphia en dwongen het Congres zich in veiligheid te brengen.

Links: *Britse huursoldaten afkomstig uit Hessen in Duitsland tijdens een nachtelijke patrouille. De huursoldaten hadden de reputatie wreedheden te begaan jegens zowel vijandelijke soldaten als burgers.*

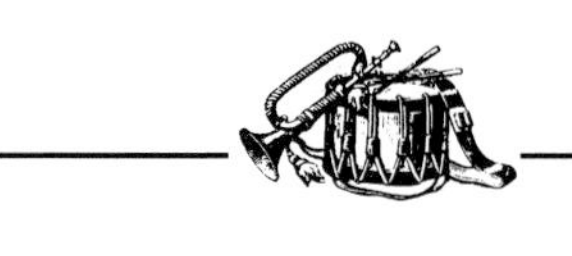

Intussen trok een ander Brits leger onder bevel van generaal John Burgoyne vanuit Canada zuidwaarts. Burgoyne was geen getalenteerde generaal. Er werd gezegd dat hij tijdens de veldtochten 'halve nachten zingend en drinkend doorbracht, zich onderwijl amuserend met zijn maîtresse die evenals hij dol was op champagne.' Zijn leger vorderde maar langzaam en de Amerikanen hadden intussen de gelegenheid een grotere troepenmacht te vormen om hem te ontvangen. Plaatselijke boeren meldden zich in groten getale als vrijwilliger aan om de invallers te bestrijden. Bij hen voegden zich vaardige scherpschutters uit Virginia.

Op 19 september 1777 stopten de Amerikanen, geleid door Benedict Arnold, de opmars van Burgoyne in een dappere strijd bij Bemis Heights in New York. Volgens kapitein Wakefield van het New Hampshire Regiment, *'kon niets de moed van Arnold overtreffen... hij leek geïnspireerd te zijn door een duivelse woede.'*[11] De Britten werden verpletterend verslagen, slechts 60 van de 400 man waren niet gewond. Veel doden lagen in het rond, en in de nacht die volgde op de slag stroopten wolven het slagveld af en leefden zich uit op de lijken. De Britten hielden nog stand tot 7 oktober, toen ze werden verslagen in een andere brute confrontatie.

Burgoyne trok zich vervolgens terug in een onbeschut kamp in Saratoga. Daar werden ze omcirkeld door Amerikaanse troepen en werden de uitgeputte Britten blootgesteld aan kanonvuur en geweersalvo's van de scherpschutters uit Virginia. Op 17 oktober gaf Burgoyne zich uiteindelijk over.

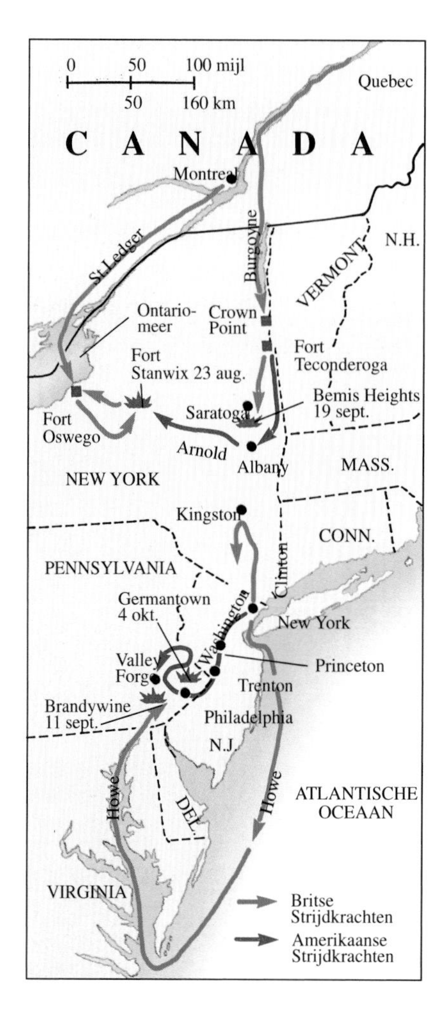

Rechts: *De oorlogsmanoeuvres in 1777. Op het Britse succes in Philadelphia volgde de Amerikaanse overwinning bij Saratoga. (Vermont was in 1777 nog onafhankelijk, maar werd in 1791 de veertiende staat.)*

Boven: *Generaal Burgoyne, in het rode uniform, geeft zich in oktober 1777 in Saratoga over aan zijn Amerikaanse tegenstander, generaal Horatio Gates. Door de vernederende nederlaag van het Britse leger besefte de hele wereld dat de Amerikanen in staat waren de oorlog te winnen.*

ONDER VUUR IN SARATOGA

Barones Von Riedesel was de vrouw van de bevelhebber van de Hessische troepen in Saratoga. Ten tijde van de 'vreeswekkende kanonnade' van de rebellen, zat zij met haar kinderen verborgen in de kelder van een huis. Boven werden gewonde Britse en Duitse soldaten behandeld. De barones beschreef de gebeurtenissen: *'Elf kanonskogels sloegen door het huis, en we konden ze duidelijk boven ons hoofd over de vloer horen rollen. Een van de soldaten, van wie zojuist een been was geamputeerd en die hiervoor op een tafel was gelegd, werd geraakt en verloor midden in de operatie ook zijn andere been. Zijn kameraden renden allemaal weg, en toen ze weer terug kwamen vonden ze hem in een hoek van de kamer, waar hij in grote angst heen gerold was, en hij ademde nog nauwelijks... In deze verschrikkelijke toestand verbleven we zes lange dagen.'*[12]

DE INDIANEN TIJDENS DE OORLOG

De Britten gebruikten Indianen als bondgenoten tegen de rebellen. De Indianen waren dappere krijgers en ze haatten de blanke kolonisten, die altijd probeerden hen hun land af te nemen. Aangespoord door de Britten mengden de Cherokee in het zuiden en Irokese stammen, zoals de Mohwak en de Seneca, in het noorden zich in de oorlog.

Pogingen om de Indianen samen met de Britse troepen te laten strijden waren geen succes. De Indianen hielden niet van de manier van oorlogvoeren van de Britten. Voor een rechtstreeks gevecht met een sterke rebellen troepenmacht waren de Indianen niet te vinden. Zij gaven de voorkeur aan aanvallen in hinderlagen en plotselinge overvallen.

In 1788 overviel een gecombineerde troepenmacht van 400 Amerikaanse loyalisten onder leiding van kolonel John Butler, en 500 Indianen geleid door het Mohawk opperhoofd Joseph Brant, de Wyoming Vallei. Boerderijen en woonwijken werden platgebrand en honderden kolonisten werden gescalpeerd. Een Britse legerarts, John Hayes, verklaarde dat het bloedbad in Wyoming 'meer had bijgedragen om een eind te maken aan de rebellie... dan alle legers samen tijdens de oorlog.'

Maar de Indianen hadden geen groot effect op de oorlog. De Amerikaanse rebellen gingen brutaal in de tegenaanval. Generaal Washington gaf bevel het gebied van de Irokezen 'niet alleen maar te overvallen, maar het totaal te vernietigen.' Duizenden Indianen stierven in de oorlog, maar hun volk won niets voor zichzelf bij de gevechten.

Rechts: *Joseph Brant in zijn Mohawk uitrusting.*

Joseph Brant (1742-1807)

Joseph Brant, die onder de Indianen bekend was als Thayendanega, was een van de leiders van de Mohawk. Als jonge man had hij Engels geleerd en had hij nauwe banden met Britse agenten aangeknoopt. In 1775 bezocht Brant Engeland en werd hij ontvangen aan het hof van de koning. Tijdens de Onafhankelijkheidsoorlog steunden de Mohawk en de Seneca van Brant de loyalisten in hun strijd tegen de rebellen. Brant was een intelligente man en een vaardig krijger. Hij werd beschreven als 'beheerst, rustig en goedaardig.' Brant bleef trouw aan de Britten tot aan zijn dood in 1807.

Een zware winter

De nederlaag in de slag bij Saratoga was een grote vernedering voor de Britten. Veel mensen hadden er aan getwijfeld of de ongeoefende Amerikaanse strijdkrachten in staat zouden zijn het op te nemen tegen de in de strijd geharde en professionele soldaten van het Britse leger. De slag bij Saratoga overtuigde die mensen ervan dat de Amerikanen een kans hadden om te winnen.

Maar de overwinning was nog lang niet in zicht. Tijdens de winter van 1777-1778 verbleef het leger van Washington in een kampement te Valley Forge, 32 kilometer van het door de Britten bezette Philadelphia. De Amerikaanse troepen waren in een erbarmelijke staat. Een van de officieren, Johann DeKalb, schreef met Kerst: *'De mannen hebben al sinds vier dagen geen brood of vlees meer gehad, en ook de paarden moeten het dikwijls doen zonder voer.'*[13] Het was bitter koud en veel mannen hadden gescheurde kleding en

Onder: *George Washington en zijn vriend markies de Lafayette begeven zich onder de soldaten in het winterlegerkamp in Valley Forge, in de buurt van Philadelphia. Kou en honger bedreigde het Continentale Leger, maar de wilskracht en de vastberadenheid van Washington hield de troepen bijeen.*

geen laarzen meer. Er werden complotten gesmeed om generaal Washington van zijn functie te ontheffen, maar hij hield stand. Hij benoemde een Duitse huurling, Baron Von Steuben, tot inspecteur-generaal van het leger. Von Steuben voerde nieuwe discipline en tucht in voor de van nature vrijgevochten Amerikanen. Een jonge Franse vrijwilliger, markies de Lafayette, verschafte Washington morele steun en vriendschap.

De Fransen mengen zich in de oorlog

Sedert 1775 hadden de Amerikaanse rebellen geheime wapenleveringen ontvangen vanuit Frankrijk. Frankrijk, dat geleid werd door machtige koningen, was geen democratie en was een fervent tegenstander van de beginselen van vrijheid en mensenrechten. Maar Frankrijk wilde graag een overwinning op Engeland. In 1776 zond het Congres Benjamin Franklin naar Parijs om te onderhandelen over een bondgenootschap. De Fransen aarzelden, totdat de overwinning in Saratoga hen ervan overtuigde dat het mogelijk zou zijn de Britten te verslaan. In februari 1778 werd er een formeel verdrag getekend waarmee Frankrijk betrokken raakte bij de oorlog.

De bemoeienis van Frankrijk met het conflict was een keerpunt. Het nieuws werd in het kamp van Washington begroet met kreten als *'Lang leve de koning van Frankrijk!'* De Britten begonnen zich vanuit Philadelphia terug te trekken naar New York. Ze voelden zich niet langer zeker, omdat de Franse marine een bedreiging kon zijn voor de Britten ter zee. In juli 1778 lag de Franse vloot voor de kust van New York.

Boven: *Baron Von Steuben was een Duitse militair die als vrijwilliger de Amerikaanse zaak steunde. Als inspecteur-generaal van het Continentale Leger bracht hij de Amerikanen discipline en tucht bij.*

BENJAMIN FRANKLIN (1706-1790)

Benjamin Franklin was de oudste van de Amerikaanse revolutionaire leiders. Hij was 70 jaar oud toen hij in 1776 de Onafhankelijkheidsverklaring ondertekende. Voor de Amerikaanse Revolutie was Franklin een internationaal befaamd wetenschapper. Hij was een van de eersten die met elektriciteit experimenteerden. Zijn belangrijkste bijdrage aan de Revolutie was als Amerikaans afgevaardigde in Frankrijk. Franklin onderhandelde met Franse politieke leiders en verkreeg hun steun voor de Verenigde Staten. Hij stierf in 1790.

Links: *Benjamin Franklin hielp in 1776 met het opstellen van de Onafhankelijkheidsverklaring. Hij werd uitgezonden naar Frankrijk waar hij officiële ruggesteun kreeg voor de Revolutie.*

MARKIES DE LAFAYETTE (1757-1834)

Markies de Lafayette was een van de meest romantische figuren in de Amerikaanse Revolutie. Hij was de zoon van een rijke Franse aristocraat. Toen Lafayette twee jaar oud was werd zijn vader gedood in de oorlog tegen de Britten. In 1777 bood Lafayette aan te vechten voor de Amerikanen. Onder de indruk van zijn enthousiasme benoemde men deze negentienjarige Franse jongeman tot generaal-majoor. Lafayette werd een persoonlijke vriend van Washington en vocht dapper voor de Amerikaanse zaak. Na zijn terugkeer in Frankrijk steunde hij de Franse Revolutie van 1789.

Onder: *Generaal Washington en de markies de Lafayette schudden elkaar de hand bij hun eerste ontmoeting in augustus 1777. Washington was vijfentwintig jaar ouder dan de Franse aristocraat, en vatte een vaderlijke vriendschap voor hem op.*

De Wereld Op Zijn Kop

Boven: *Generaal Sir Henry Clinton was van 1778 tot 1782 bevelhebber van de Britse strijdkrachten in Amerika.*

Zelfs nadat de Fransen zich met het conflict gingen bemoeien was de uitkomst van de oorlog in Amerika nog niet zeker. Washington zelf beschouwde het als een wonder dat het Continentale Leger nog steeds in stand was. Het voeden en betalen van de troepen vormde een ernstig probleem. In 1781 was de continentale dollar, het officiële waardepapier van het Congres, nog zo weinig waard dat het werd gebruikt om er het vuur mee aan te maken. De uitdrukking 'nog geen continentale waard' deed zijn intrede in het taalgebruik. Milities en soldaten sloegen aan het muiten omdat ze niet werden betaald.

Washington begreep dat de geest van de Revolutie hopeloos bedorven was. *'Speculatie… en een onverzadigbare dorst naar rijkdom schijnt vele mensen in z'n greep te hebben,'* schreef hij. *'Moed en vaderlandslievendheid zijn bijna helemaal uitgestorven.'*[14] Toch werden de Britten aan het eind van 1781 geheel verslagen.

De oorlog beweegt zich naar het Zuiden

Tot de winter van 1778 hadden de belangrijkste gevechten zich beperkt tot de noordelijke staten. Maar toen besloot de Britse regering dat hun leger nu zou toeslaan in het zuiden. In het begin bracht dit hen grote overwinningen. Onder generaal Clinton, die het bevel had overgenomen van generaal Howe, namen de Britten voortvarend de welvarende havens van Charleston in South Carolina en Savannah in Georgia in. Een Amerikaanse strijdmacht geleid door generaal Gates, de overwinnaar van Saratoga, werd in augustus 1780 in Camden vernietigend verslagen door de troepen van generaal Charles Cornwallis.

Onder: *De Britten namen in mei 1780 de welvarende haven van Charleston in South Carolina in. Hier vallen de Britten de stad zowel te land als ter zee aan.*

SLAVEN

Ongeveer eenvijfde van de bevolking van Amerika bestond uit zwarte slaven. In de noordelijke staten waren de meeste mensen tegenstander van slavernij. Daar vochten veel slaven en vrije Afro-Amerikanen samen met de blanken in het Continentale Leger. Maar de meeste slaven leefden in de zuidelijke staten. De blanken in het zuiden vreesden dat de Britten de slaven zouden aanmoedigen in opstand te komen tegen hun rebellerende eigenaren. James Madison, een inwoner van Virginia en toekomstig president, schreef in 1774: *'Ik vrees dat een oproer onder de slaven kan en zal worden bevorderd.'*[15]

Een slaaf aan het werk op een kleine boerderij in het zuiden van de Verenigde Staten. De slaven verlangden ernaar bevrijd te worden van hun meesters, die hen kochten en verkochten als dieren.

De Britten waren echter terughoudend in het oproepen van slaven tot opstand. Dit was gedeeltelijk omdat zij de steun van blanke loyalisten zochten in de zuidelijke staten. De meeste loyalisten hadden, net als de rebellen, slaven. Maar de Britten moedigden wel de slaven van rebellen aan om hun meester te verlaten, en beloofden hen hun vrijdom aan het eind van de oorlog. Slaven die hun loyalistische meester verlieten werden echter teruggestuurd naar hun eigenaar.

Engeland maakte zelden gebruik van slaven in de strijd. Sommige slaven in het zuiden kregen echter wapens en vochten als loyalisten in de moerassen van Savannah. Ze noemden zichzelf Soldaten van de Koning van Engeland, en gingen na het einde van de oorlog tussen Engeland en Amerika door met de strijd voor hun vrijheid.

TIJDSCHAAL

1778

29 augustus: Een gezamenlijke aanval van Fransen en Amerikanen op Newport, Rhode Island, mislukt.

29 december: De Britten nemen de haven van Savannah in Georgia in.

21 juni: Spanje verklaart Engeland de oorlog.

1780

12 mei: De Britten onder bevel van generaal Sir Henry Clinton nemen Charleston in South Carolina in.

11 juli: De Franse strijdkrachten van Graaf de Rochambeau komen aan voor de kust van Rhode Island.

25 september: De verrader Benedict Arnold loopt over naar de Britten.

1781

17 januari: De Amerikaanse strijdkrachten onder Daniel Morgan verslaan de Britten in Cowpens.

19 oktober: Generaal Cornwallis geeft zich over in Yorktown, in feite het einde van de Onafhankelijkheidsoorlog.

Regimenten zuidelijke loyalisten vochten aan de zijde van de Britten. Maar de militie van South Carolina leidde een sterk verzet van rebellen tegen de Britse bezetting. Hun twee beroemdste bevelhebbers waren Thomas Sumter, bekend als de Kemphaan uit Carolina, en Francis Marion, met als bijnaam de Moerasvos. Met behulp van guerrilla tactieken terroriseerden ze de plaatselijke loyalisten en verzwakten de Britse strijdkrachten.

De oorlog werd grimmig en meedogenloos toen rivaliserende regimenten van loyalisten en rebellen plunderend door het land trokken en alles platbrandden. Het zuidelijke departement van het Continentale Leger van Washington, onder leiding van de briljante generaal Nathanael Green, vocht in feite ook een guerrilla-oorlog. Met slechts 2000 man, slecht uitgerust en half verhongerd, teisterde Greene de Britten. Hij zei: *'We komen op, worden verslagen, komen weer op en vechten opnieuw.'*[16]

Boven: *Nathanael Greene, de bevelhebber van het Leger van het Zuiden, was een van de meest succesvolle Amerikaanse generaals in de Onafhankelijkheidsoorlog.*

Terwijl guerrilla-aanvallen van de rebellen de Britten verdreef uit grote delen van South Carolina en Georgia, trok generaal Cornwallis stoutmoedig noordwaarts door North Carolina en naar Virginia. Zijn troepen leden zware verliezen in enkele bloedige gevechten. Bij King's Mountain werden 1000 loyalisten uit Tennessee omsingeld door geharde milities en afgeslacht. Bij Cowpens bedroegen de verliezen van de Britten op 16 januari 1781 900 man, terwijl de Amerikanen slechts 72 man verloren.

Op 1 augustus 1781 eindigde de rampzalige mars van Cornwallis in de kleine haven van Yorktown aan de kust van Chesapeake Bay in Virginia.

SIR BANASTRE TARLETON (1754-1833)

Kapitein Tarleton, de zoon van een koopman uit Liverpool, was de bevelhebber van het Britse Legioen, een regiment dat de rebellen in het zuiden terroriseerde. In 1780, op de leeftijd van slechts zesentwintig jaar, pochte hij dat hij 'meer mannen had afgeslacht en met meer vrouwen geslapen had dan ieder ander in het leger.' Tarleton was een onstuimige jonge cavalerie-officier, befaamd om zijn bekwaamheid zijn paarden tot het uiterste te laten gaan en door snelheid en verrassing zijn vijanden te verpletteren. Maar hij was ook berucht vanwege het wrede doden van weerloze gevangenen. Hij bereikte een hoge ouderdom.

Rechts: *De Britse generaal John Andre is schijnbaar ontspannen en op zijn gemak als Amerikaanse soldaten arriveren om hem naar de galg te brengen. Zelfs Amerikaanse officieren vonden de executie van Andre vanwege spionage verkeerd.*

VERRAAD!

In de beginjaren van de Onafhankelijkheidsoorlog was Arnold Benedict een van de meest succesvolle Amerikaanse generaals. Maar hij vond dat het Congres hem niet genoeg beloonde voor zijn verrichtingen bij Saratoga. En omdat hij zwaar in de schulden zat, besloot hij zijn diensten aan te bieden aan de Britten.

In september 1780 ontmoette Arnold in het geheim een Britse officier, administratief bevelvoerder John Andre, om zijn verraderspraktijken te bespreken. Arnold zou de Britten West Point, het fort aan de rivier de Hudson dat onder zijn bevel stond, in laten nemen in ruil voor een bedrag van 20.000 Engelse ponden. Maar Andre werd op zijn terugtocht naar de Britse linie gevangen genomen door rebellen-milities, en de samenzwering mislukte.

Arnold liep over naar de Britten, die hem geld aanboden en hem aanstelden als officier in hun leger. Andre werd daarentegen berecht door de rebellen en vanwege spionage veroordeeld tot de dood door ophanging. Hij onderging zijn lot met grote waardigheid en richtte zich aldus tot de aanwezigen: *'Ik bid u, getuige te zijn dat ik mijn lot onderga als een moedig man.'* Vervolgens mompelde hij, terwijl de galg in gereedheid werd gebracht: *'Het zal slechts een kortstondige kwelling zijn.'*[17] Dit waren zijn laatste woorden.

Overgave bij Yorktown

Een Franse troepenmacht van 5000 man onder bevel van graaf de Rochambeau kwam in juli 1780 in Amerika aan. Tot dit moment had de Franse inmenging in de oorlog nog geen dramatische effecten gehad. Nu zou het bewijzen beslissend te zijn. In september 1781 plande Washington, nadat hij vernomen had dat Cornwallis in Yorktown was, een stoutmoedige land-en-zee-operatie om hem hier in de val te lokken. Een Franse vloot onder bevel van admiraal De Grasse, zou vanuit West-Indië naar Chesapeake Bay varen en een blokkade opwerpen in de baai. Tezelfdertijd zouden Washington en Rochambeau zich naar het zuiden haasten om te verhinderen dat Cornwallis over land zou kunnen ontsnappen.

Het plan werkte. Admiraal De Grasse sloeg een aanval van de Koninklijke Marine af en blokkeerde de baai. Washington en Rochambeau ontmoetten elkaar op 28 september bij Williamsburg in Virginia. Hun gecombineerde troepenmacht van bijna 17.000 man belegerde de 8.000 soldaten van Cornwallis in Yorktown. De Britten konden zich onmogelijk verdedigen tegen de Franse en Amerikaanse kanonnen die het kogels lieten regenen op hun stellingen. Overal in de straten lagen doden met

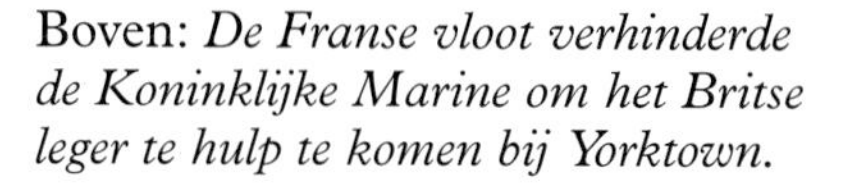

Boven: *De Franse vloot verhinderde de Koninklijke Marine om het Britse leger te hulp te komen bij Yorktown.*

Links: *Op deze kaart staan de belangrijkste gevechten van 1778-1781 aangegeven.*

DE WREEDHEDEN VAN DE OORLOG

De oorlog in de zuidelijke staten werd een verbitterde strijd door wreedheden aan beide kanten. Het Britse Legioen van kapitein Sir Banastre Tarleton richtte in mei 1780 in Wexham een bloedbad aan onder rebellen uit Virginia, aangevoerd door kolonel Abraham Buford. Een jonge rebel uit Virginia was er getuige van dat een groep kornuiten wraak nam voor dit geweld: *'Enkele van mijn kornuiten hadden gevraagd of ik mee wilde gaan om naar enkele van de Tory gevangenen te gaan kijken. We gingen naar een plek waar er zes bij elkaar waren. Terwijl er enige discussie plaatshad, hoorde ik enkele van onze mannen roepen 'Denk aan Buford', en daarop werden de gevangenen onmiddellijk met slagzwaarden in stukken gehakt... Ik voelde een afschuw als ik nooit tevoren had gevoeld en ook nooit meer zou voelen, en terwijl ik terug liep naar mijn legerplaats en mijzelf op mijn bed wierp betreurde ik de wreedheden van de oorlog...'*

afgerukte ledematen en hoofden. Het hoofdkwartier van Cornwallis werd geraakt en hij moest zich verschansen in een grot. De mensen hielden zich schuil in geïmproviseerde schuilplaatsen bij de rivier, maar deze boden weinig bescherming. De voedselvoorraden waren al spoedig uitgeput en soldaten deserteerden in drommen.

Op 17 oktober liep een Britse officier wuivend met een witte vlag op de Amerikanen toe om te spreken over voorwaarden bij overgave. Twee dagen later marcheerden de Britse soldaten in hun helderrode uniformen Yorktown uit en wierpen hun wapens neer voor de zegevierende Fransen en Amerikanen. Sommigen huilden, anderen vloekten. Terwijl deze droefgeestige ceremonie werd uitgevoerd, speelden de Britse troepen een toepasselijke oude melodie: 'De Hele Wereld Op Zijn Kop'.

Onder: *De Britse roodrokken marcheren naar buiten de stad om hun wapens neer te leggen na de overgave bij Yorktown.*

De Geboorte van een Natie

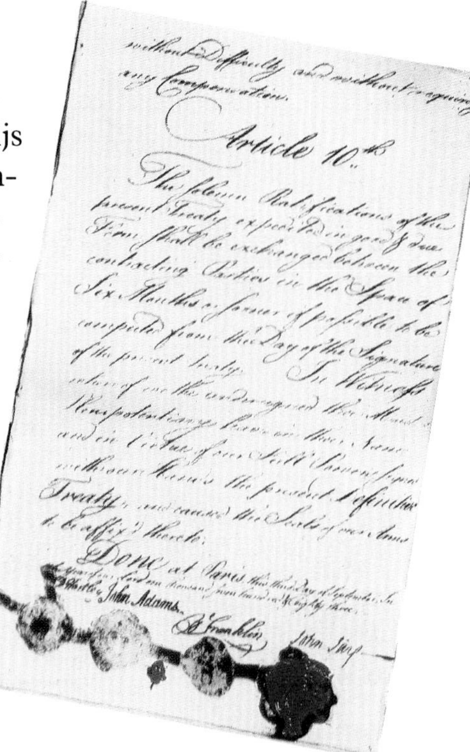

without Difficulty and without requiring any Compensation.

Article 10th.

The solemn Ratifications of the present Treaty expedited in good & due Form shall be exchanged between the contracting Parties in the Space of Six Months or sooner if possible to be computed from the Day of the Signature of the present Treaty. In Witness whereof we the undersigned their Ministers Plenipotentiary have in their Name and in Virtue of our Full Powers signed with our Hands the present Definitive Treaty, and caused the Seals of our Arms to be affix'd thereto.

Done at Paris

John Adams. B Franklin John Jay

Na de overgaven van Cornwallis bij Yorktown gaven de Britten hun pogingen de oorlog te winnen op. Er waren geen serieuze gevechten meer en in Parijs werden vredesbesprekingen gehouden. Op 23 september 1783 erkende Engeland in het Verdrag van Parijs de Verenigde Staten als een onafhankelijk land. De laatste Britse troepen trokken zich de daarop volgende maand terug uit New York.

Ongeveer 100.000 loyalisten verlieten de Verenigde Staten ofwel tijdens ofwel na de Revolutie. Veel van deze emigranten waren vooraanstaande landeigenaren of kooplieden geweest. Veel andere leden van de rijke elite hadden de Revolutie gesteund. Deze in wezen conservatieve mannen behielden het bestuur over de Verenigde Staten na het vertrek van de Britten. Zij wilden geen maatschappelijke omwenteling. Ze wilden het liefst zo weinig mogelijk veranderen. Hun belangrijkste zorg was om de politiek in de nieuwe Verenigde Staten zo te organiseren dat de misstanden die de revolutie hadden veroorzaakt nooit meer zouden kunnen voorkomen. Ze wilden garanderen dat de regering nooit in staat zou zijn de basisvrijheden waar zij voor gevochten hadden weer af te nemen.

De weg naar een Grondwet

Tijdens de Onafhankelijkheidsoorlog hadden de Amerikanen voor het eerst een gevoel van nationale identiteit ontwikkeld. Maar de staten bleven essentieel onafhankelijk. Elke staat hief zijn eigen belastingen en stemde voor zijn eigen grondwet.

In 1781 werden de dertien staten formeel verbonden onder een centrale regering door de Artikelen van Confederatie, een voorlopige grondwet. Maar de centrale regering was zeer zwak en de dertien staatsregeringen regelden nog steeds grootdeels hun eigen zaken. Al spoedig beschouwden de mensen deze ongebonden confederatie als onbevredigend. In 1786 kwamen boeren uit Massachusetts onder leiding van Daniel Shay in opstand tegen het staatsbestuur. Het Congres was niet in staat effectieve steun te geven aan Massachusetts en de staat was maar ternauwernood in staat de opstand neer te slaan. Veel mensen

concludeerden dat een sterkere centrale regering nodig was om de Verenigde Staten stabiel te maken.

In mei 1787 kwam in Philadelphia een conventie bijeen waar een nieuwe Constitutie (Grondwet) werd opgesteld. Tot de leden van de constitutionele conventie behoorden George Washington, Benjamin Franklin en de toekomstige president James Madison. De conventie werkte een compromis uit tussen de macht van een federaal bestuur en de macht van de staatsbesturen. Ze probeerden ook een evenwicht te vinden tussen ferm gezag om de orde te handhaven en de behoefte de vrijheid van het individu te waarborgen.

Sommige mensen wilden een sterke president – zoals een koning – terwijl anderen wilden dat het Congres het land zou leiden. Vervolgens waren er bittere twisten tussen de kleine staten, die wilden dat alle staten evenredig vertegenwoordigd zouden zijn in het Congres, en de grote staten die wilden dat staten meer of minder zetels zouden hebben in verhouding tot hun bevolkingsaantal. De zuidelijke staten waren bezorgd dat ze niet genoeg vertegenwoordigers zouden krijgen omdat de bevolking

Links: *Dit document is het Verdrag van Parijs dat in september 1783 werd getekend. In het verdrag erkent Engeland de onafhankelijkheid van de Verenigde Staten. Bij de handtekeningen onderaan het verdrag zijn die van John Adams en Benjamin Franklin.*

Onder: *Het zegevierende Amerikaanse Continentale Leger marcheert op 25 november New York binnen om het over te nemen van de Britten. Hoewel de oorlog in werkelijkheid al in 1781 werd gewonnen, duurde het twee jaar voor de laatste Britse troepen het land verlieten.*

HET VRAAGSTUK VAN DE SLAVERNIJ

Het was voor veel Amerikanen duidelijk dat de beginselen van vrijheid en gelijkheid die in de Onafhankelijkheidsverklaring werden verkondigd een schijnvertoning waren ten opzichte van de 500.000 slaven die in de nieuwe Verenigde Staten onderworpen bleven, zonder enige rechten of vrijheid. In Massachusetts brachten enkele zwarte slaven, waaronder Quok Walker en Bett Freeman, dit in 1781 onder de aandacht van het hof. Het hof stemde er mee in dat vrijheid en gelijkheid ook voor hen gold. Hiermee werd feitelijk de slavernij beëindigd in Massachusetts.

In de noordelijke staten werd de slavenhandel en vervolgens de slavernij na de onafhankelijkheid geleidelijk afgeschaft, hoewel er tot 1827 nog slaven waren in de staat New York. In de zuidelijke staten, waar de meeste slaven leefden, werd de slavernij niet alleen gehandhaafd, maar breidde zich zelfs nog uit. Hier werd de slavernij pas in 1863 afgeschaft.

van hun staten voor een groot deel uit slaven bestond die geen stemrecht hadden.

Op 17 september 1787 kwam de conventie een ontwerp Constitutie overeen, hoewel deze pas in 1790 door alle staten werd geratificeerd. In april 1789 werd George Washington, de held van de Onafhankelijkheidsoorlog, de eerste in een lange reeks presidenten. De Grondwet van de Verenigde Staten, die heden ten dage nog steeds van kracht is, was een succesvol compromis tussen strijdige inzichten en belangen. De federale regering was sterk, maar de staatsbesturen hielden een zekere macht. Er was een gekozen president als hoofd van de staat, maar een goed systeem voorkwam dat die te veel macht kreeg. Het Congres werd verdeeld in twee volksvertegenwoordigingen: de Senaat, die alle staten gelijke vertegenwoordiging gaf, en het Huis van Afgevaardigden, waarin staten zetels hadden evenredig aan het inwonertal van hun staat. Om de zuidelijke staten tevreden te stellen werd elke slaaf geteld als eenvijfde van een persoon bij het berekenen van de zetels.

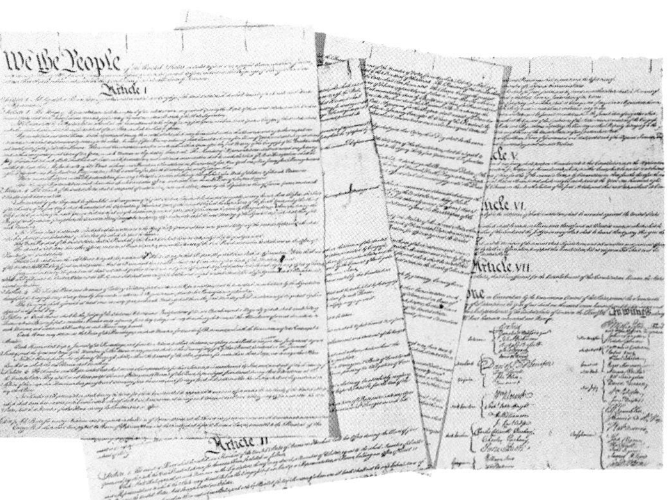

Boven: *Het originele document van de Grondwet van de Verenigde Staten, dat begint met de woorden: 'Wij het Volk...' De Verenigde Staten was het eerste land ter wereld dat werd geregeerd volgens gedetailleerde, geschreven regels.*

Een Democratische Revolutie

De Constitutie begon met de woorden: *'Wij het Volk...'* Dit was de belangrijkste zin in het hele document. Het betekende dat de regering en zijn instellingen enkel en alleen bestond bij de gratie van het volk. Dit was het beginsel dat de Amerikanen hadden geleerd van de revolutionaire strijd. De regering

Rechts: *George Washington (met de hand op het boek) wordt beëdigd als de eerste president van de Verenigde Staten. Links van hem staat de eerste vice-president, John Adams. Het presidentschap verkreeg groot respect vanwege de waardigheid en oprechtheid van Washington.*

DE 'BILL OF RIGHTS'

In 1791 stemde het Congres in met tien amendementen (toevoegingen) aan de Grondwet. Deze amendementen werden bekend als de Bill of Rights. Ze werden ontworpen om de vrijheid van het individu tegenover de regering te waarborgen. Deze amendementen garandeerden onder andere de vrijheid van spreken, vrijheid van godsdienst en vrijheid van drukpers.

De Bill of Rights gaf Amerikaanse burgers tevens het recht wapens te dragen. Het argument hiervoor was dat de Revolutie was geslaagd omdat gewone Amerikanen geweren bezaten en ze hadden gebruikt om hun rechten te verdedigen. Als burgers geen wapens hadden kon een onderdrukkende regering het land zijn wil opleggen en zou niemand in staat zijn dit tegen te houden. Het recht om een wapen te bezitten wordt door veel Amerikaanse burgers nog steeds beschouwd als een fundamentele vrijheid.

bestond om te doen wat het volk wilde, niet om het volk te laten doen wat het niet wilde. Deze eenvoudige zin kondigde het tijdperk van de democratie aan.

Natuurlijk waren de Verenigde Staten in het begin een verre van perfecte democratie. Vrouwen, Indianen, armen en Afro-Amerikanen hadden geen stemrecht. Door de jaren heen zou deze vorm van bestuur vele ups en downs kennen. Maar het democratische beginsel dat de Verenigde Staten hadden gevestigd bij hun stichting, was voorbestemd om de politieke toekomst van de wereld te vormen.

EEN VOORBEELD VOOR DE WERELD

De Amerikaanse Revolutie schiep een nieuw model om na te volgen voor de wereld. De Verenigde Staten was het eerste grote land in de moderne tijd dat een republiek was, met een gekozen president in plaats van een koning of koningin. Het was ook een democratischer land dan enig andere gemeenschap in die tijd. Toen de landen van Zuid- en Midden-Amerika in de negentiende eeuw onafhankelijk werden, namen ze grondwetten aan naar Amerikaans model. Min of meer democratische republieken zijn geleidelijk aan de meest algemene bestuursvorm geworden in de wereld.

In het buitenland werd de invloed van de Amerikaanse Revolutie het sterkst gevoeld in Frankrijk. De kosten van hun bijdrage aan de Amerikaanse Onafhankelijkheidsoorlog bracht het Franse koningshuis zwaar in de problemen, en dit leidde indirect tot de Franse Revolutie van 1789. De Franse revolutionairen produceerden een Verklaring van de Rechten van de Mens, die nauw verwant was aan de beginselen van de Amerikaanse Revolutie. Ze stichtten ook een democratische republiek. De Franse Revolutie volgde uiteindelijk een geheel andere koers dan de Amerikaanse, door het Schrikbewind en de regering van keizer Napoleon. Maar zonder het voorbeeld van de Amerikaanse Revolutie zou de Franse Revolutie misschien nooit tot stand zijn gekomen.

VERKLARENDE WOORDENLIJST

Afro-Amerikanen Vroegere bewoners van Afrika, die naar Amerika waren gehaald om daar als slaven te werken.

Bondgenoten Bondgenoten staan aan dezelfde kant tijdens een oorlog of in een gevecht.

Boycot Uitsluiting van het handelsverkeer, waardoor niemand van het betreffende land iets koopt of verkoopt.

Congres Senaat (eerste kamer) en raad van afgevaardigden in de Verenigde Staten.

Constitutie Grondwet. Een aantal regels en voorschriften waarin wordt vastgelegd hoe een land wordt bestuurd. In een grondwet wordt de macht van een regering aan banden gelegd en burgers rechten gegeven.

Democratie Een vorm van bestuur waarbij de bestuurders worden gekozen door de mensen die ze gaan besturen.

Dienstplicht Verplicht enige tijd in militaire dienst zijn.

Guerrilla tactieken Methoden die door kleine groepen, niet officiële strijders worden gebruikt om grotere strijdmachten te verslaan, bijvoorbeeld door verrassingsaanvallen en hinderlagen, waarbij grote veldslagen worden vermeden.

Handwerkslieden Vaardige werklieden die goederen als schoenen of meubels vervaardigen. Ze werkten in kleine werkplaatsen en maakten de dingen met de hand met gebruikmaking van hun eigen gereedschappen.

Huursoldaten Soldaten die voor elke zaak vechten in ruil voor geld.

Invoerrechten Belasting die geheven wordt op goederen die in een land ingevoerd worden.

Loyalisten Amerikanen die trouw bleven aan de Britse koning George III, en tegen de rebellie waren.

Milities Part-time soldaten, geen professioneel leger. Milities vechten over het algemeen alleen in hun eigen woongebied, en doen gewoon hun eigen werk, bijvoorbeeld als boer of winkelier, als ze niet opgeroepen worden om te vechten.

Minutemen Amerikaanse burgers die de rebellen steunden en wanneer ze opgeroepen werden om te vechten binnen een minuut klaar konden staan.

Patriotten Amerikanen die de rebellie tegen de Britse regering steunden.

Plantage Een enorm groot akkerbouwland, waar meestal slaven werkten, waar gewassen als katoen of tabak werden verbouwd.

Radicalen Een algemene term voor mensen die een fundamentele verandering willen in de politiek of in de samenleving, in plaats van kleine hervormingen.

Republiek Een land dat bestuurd wordt door een president of eerste minister, in plaats van door een koning of een keizer.

Revolutie Omwenteling; algehele verandering van bestuur in een land die afgedwongen wordt door degenen die aan het bestuur onderworpen waren en die een nieuwe regering invoeren.

Roodrokken Zo werden de Britse soldaten genoemd vanwege hun rode uniformjassen met lange panden. Door de Amerikanen werden ze ook 'kreeftenruggen' genoemd.

Scherpschutters Zeer bedreven schutters, die meestal vanuit een hinderlaag schoten.

Tories Loyalistische Amerikanen die tegen de radicalen waren en wilden dat de kolonies onder Brits gezag bleven.

REGISTER

Vetgedrukte paginanummers verwijzen zowel naar illustraties als naar de tekst.

VERKLARING VAN DE NOTEN

1 Geciteerd door Jeremy Black in *War for America* (Alan Sutton Publishing, 1994)
2 Geciteerd door R.B. Nye en J.E. Morpugo in *The Birth of the USA* (Penguin, 1967).
3 Geciteerd in *The Correspondence of King George III* (ed. J. Fortescue, 1928)
4 Geciteerd door Jeremy Black, *op. cit.*
5 Geciteerd in *Chronical of America* (Longman).
6 Geciteerd door Christopher Hibbert in *Redcoats and Rebels* (Grafton Harper Collins, 1993.
7 Geciteerd door William P. Cumming en Hugh F. Rankin in *The Fate of a Nation* (Phaidon, 1975).
8 Geciteerd door Christopher Hibbert, *op. cit.*
9 *Ibidem.*
10 Geciteerd in *The Blackwell Encyclopedia of the American Revolution* (ed. Jack P. Greene en J.R. Pole, Blackwell, 1991).
11 Geciteerd door Christopher Hibbert, *op. cit.*
12 Geciteerd in *Baroness von Riedesel: Letters and Memoirs Relating to the American War of Independence* (gepubliceerd in New York, 1867).
13 Geciteerd door William P. Cumming en Hugh F. Rankin, *op. cit.*
14 Geciteerd door James T. Flexner in Washington: *The Indispensable Man* (Collins, 1976).
15 Geciteerd door Jeremy Black, *op. cit.*
16 Geciteerd in *The Blackwell Encyclopedia of the American Revolution, op. cit.*
17 Geciteerd door Willard Sterne Randall in *Benedict Arnold* (Bodley Head, 1991).
18 Geciteerd door Christopher Hibbert, *op. cit.*